O encontro

Anne Enright

O encontro

Tradução
José Rubens Siqueira

ALFAGUARA

© 2007, Anne Enright
Todos os direitos desta edição reservados à
Editora Objetiva Ltda.
Rua Cosme Velho, 103
Rio de Janeiro — RJ — Cep: 22241-090
Tel.: (21) 2199-7824 — Fax: (21) 2199-7825
www.objetiva.com.br

Título original
The Gathering

Capa
Andrea Vilela de Almeida, a partir de projeto da edição original (Jonathan Cape)

Imagem de capa
© Andrew Richards

Revisão
Ana Kronemberger
Catharina Epprecht
Diogo Henriques

Editoração eletrônica
Abreu's System Ltda.

Proibida a venda em Portugal.

CIP-BRASIL. CATALOGAÇÃO-NA-FONTE
SINDICATO NACIONAL DOS EDITORES DE LIVROS, RJ.

E52e

    Enright, Anne
        O encontro / Anne Enright ; tradução José Rubens Siqueira. – Rio de Janeiro : Objetiva, 2008.

        Tradução de: *The Gathering*
        243p.   ISBN 978-85-60281-54-1

        1. Segredos de família - Ficção. 2. Dublin (Irlanda) - Usos e costumes - Ficção. 3. Ficção irlandesa. I. Siqueira, José Rubens. II. Título.

08-2197   CDD: 828.99153
                                                  CDU: 811.111(415)-3

O encontro

1

Eu gostaria de registrar o que aconteceu na casa de minha avó no verão em que eu tinha oito ou nove anos, mas não tenho certeza se realmente aconteceu. Tenho de testemunhar um acontecimento incerto. Que eu sinto rugir dentro de mim, essa coisa que pode nem ter acontecido. Não sei nem que nome dar a isso. Acho que se pode chamar de crime da carne, mas a carne há muito se desfez e não sei bem qual mágoa pode restar nos ossos.

Meu irmão Liam adorava pássaros e, como todo menino, adorava os ossos de animais mortos. Não tenho filhos homens, de forma que sempre que passo por qualquer pequeno crânio ou esqueleto eu hesito e penso nele, no quanto ele admirava os detalhes daquilo. Os braços antigos de uma gralha se projetando da massa de penas; duros, claros, limpos. Essa é a palavra que usamos para ossos: *limpos*.

Falo para minhas filhas não pisarem, claro, no crânio de camundongo que encontramos no bosque ou no tentilhão que se desmancha no muro do jardim. Não sei bem por quê. Embora a gente às vezes encontre, na praia, um osso de siba tão puro que não consigo deixar de enfiar no bolso, e minha mão sente conforto em seu branco arco secreto.

Não se pode difamar os mortos, acho, só se pode lhes dar consolação.

Então ofereço a Liam esta imagem: minhas duas filhas correndo na beira arenosa de uma praia de pedras, sob um céu baixo e turbulento, os ombros de seus casacos encolhidos para trás. Depois apago a imagem. Fecho os olhos e flutuo com a forte estática do mar. Quando os abro de novo, é para chamar as meninas de volta para o carro.

Rebecca! Emily!

Não importa. Não sei qual é a verdade e não sei como contar a verdade. Tudo o que tenho são histórias, idéias noturnas, as súbitas convicções que a incerteza desova. Tudo o que tenho são delírios, é mais isso. *Ela o amava!* digo. *Devia amar!* Espero pelo sentido que o amanhecer nos traz quando não se dormiu nada. Fico no andar de baixo enquanto minha família ressona acima de mim e escrevo, deposito todos em lindas frases, todos os meus ossos limpos, brancos.

2

Há dias em que não me lembro de minha mãe. Olho a fotografia dela e ela me escapa. Ou a vejo num domingo, depois do almoço, passamos uma tarde agradável, e quando vou embora descubro que ela passou por mim como água.

— Adeus — ela diz, já esmaecendo. — Adeus, minha menina querida — e levanta seu velho rosto macio para um beijo. Isso ainda me deixa com tanta raiva. O jeito como ela parece desaparecer quando me viro e, quando olho, vejo apenas as bordas. Acho que passo direto por ela na rua, se ela um dia comprar outro casaco. Se minha mãe cometesse um crime não haveria testemunha: ela é o esquecimento em pessoa.

— Onde está minha bolsa? — ela dizia sempre, quando éramos crianças; ou podia ser as chaves, ou os óculos. — Alguém viu minha bolsa? — fazendo-se, naqueles poucos segundos, quase presente, enquanto ia do hall para a sala, para a cozinha e voltava outra vez. Mesmo nessa hora não olhávamos para ela, mas para todo o resto: ela era uma agitação atrás de nós, uma espécie de culpa coletiva, enquanto revirávamos a sala, sabendo que nossos olhos iam passar por cima da bolsa, que era marrom e gorda, mesmo ela estando claramente ali.

Então, Bea encontrava a bolsa. Sempre há um filho que é capaz não só de olhar, mas também de ver. O quieto.

— Obrigada, querida.

Vamos ser justas, minha mãe é uma pessoa tão vaga que é possível que nem ela se veja. É possível ela passar a ponta do dedo por uma fileira de garotas numa velha fotografia e não ser capaz de identificar a si mesma. E de todos os seus filhos, eu sou a que mais pareço com a mãe dela, minha avó, Ada. Deve ser confuso.

* * *

— Ah, olá — ela falou ao abrir a porta do hall, no dia em que fiquei sabendo de Liam.

— Olá. Querida. — Ela podia dizer a mesma coisa para o gato.

— Entre. Entre — diz ela parada na porta e não se afasta para me deixar passar.

Claro que sabe quem sou eu, é só o meu nome que lhe foge. Os olhos mexem de um lado para o outro enquanto ela vai eliminando um por um de sua lista.

— Oi, mamãe — eu digo, só para lhe dar uma pista. E passo por ela, entro no hall.

A casa me conhece. Sempre menor do que deveria ser; as paredes ficam mais fechadas e mais complicadas que as da lembrança. O lugar é sempre pequeno demais.

Atrás de mim, minha mãe abre a porta da sala de estar.

— Quer tomar alguma coisa? Uma xícara de chá?

Mas eu não quero entrar na sala de estar. Não sou visita. Esta é minha casa também. Eu estava dentro dela, enquanto ela crescia; quando a sala de estar foi demolida para virar a cozinha, quando a cozinha engoliu o quintal. É o lugar onde meus sonhos ainda acontecem.

Não que eu jamais vá viver aqui de novo. O lugar é todo ampliação, sem casa. Até mesmo o cubículo do lado da porta da cozinha tem outra porta no fundo, de forma que é preciso batalhar para abrir caminho entre casacos e aspiradores de pó para conseguir entrar no banheiro de baixo. Não dá para vender o imóvel, eu penso, a não ser como um terreno. Pôr abaixo e começar de novo.

A cozinha tem sempre o mesmo cheiro: que me pega na base do crânio, muito tênue e desagradável, por baixo da pintura amarela fresca. Armários cheios de velhos lençóis; alguma coisa queimada, empoeirada em volta do isolamento do aquecedor de imersão; a poltrona em que meu pai sentava, os braços brilhosos e frios do desgaste humano de muitos anos. Me deixa um pouco enjoada e aí não sinto mais o cheiro. Apenas está. É o nosso cheiro.

Vou até a bancada dos fundos e pego a chaleira, mas, quando vou encher de água, o punho de meu casaco engancha na torneira e a manga fica encharcada. Sacudo a mão, depois o braço e, quando a chaleira está cheia e plugada na tomada, tiro o casaco, viro a manga molhada pelo avesso e sacudo no ar.

Minha mãe assiste a essa cena estranha como se lembrasse de alguma coisa. Então avança até onde estão os comprimidos empilhados num pires na outra bancada. Toma um depois do outro, com um flácido alheamento da língua. Levanta o queixo e engole a seco, enquanto esfrego o braço com a mão e depois passo a mão molhada no cabelo.

Uma última cápsula, verde, entra em sua boca e ela se imobiliza, enquanto a garganta trabalha. Fica olhando pela janela um momento. Depois se vira para mim, ausente.

— Como vai? Querida?

— Veronica! — sinto vontade de gritar para ela. — Você me batizou de Veronica!

Se ela ao menos ficasse visível, penso. Então eu poderia entrar em contato com ela e impor-lhe a verdade da situação, a gravidade do que ela fez. Mas ela permanece nebulosa, inatingível, amada demais.

Vim contar a ela que Liam foi encontrado.

— Você está bem?

— Ah, mamãe.

A última vez que chorei nesta cozinha eu tinha dezessete anos, velha demais para chorar, se bem que talvez não em nossa família, onde todo mundo parecia ser da mesma idade, todos ao mesmo tempo. Passo o antebraço molhado pela mesa de pinho amarelo, com seu brilho grosso, plastificado. Viro o rosto para ela e me preparo para dizer a coisa ritual (e há nisso uma espécie de alegria, eu reparo) mas — Veronica! — ela diz de repente e se dirige, quase corre, para a chaleira. Põe a mão no cabo de baquelita com as bolhas borbulhando contra o cromo e a levanta, ainda plugada, verte um pouco de água para aquecer o bule.

Ele nem gostava dela.

Na parede, há uma fenda, acima da porta, onde Liam atirou uma faca em nossa mãe e todo mundo riu e gritou com ele. Está lá entre outras marcas e riscos. Famoso. O buraco que Liam fez e a minha mãe se abaixou e todo mundo começou a rir.

O que ela podia ter dito a ele? Que provocação poderia ter feito a ele, essa mulher tão doce? E Ernest, então, ou Mossie, um dos disciplinadores, empurrando Liam para fora da porta, até o gramado, para ser chutado. Nós demos risada disso também. E meu irmão perdido, Liam, riu: o atirador da faca, que estava sendo chutado, ele riu também, e agarrou o tornozelo do irmão mais velho para derrubá-lo na grama. Também eu estava rindo, pelo que me lembro. Minha mãe sorrindo um pouco diante daquilo, continuando seus afazeres. Minha irmã Midge pegou a faca e sacudiu na frente da janela, para os rapazes que brigavam, depois a jogou dentro da pia cheia de louça por lavar. Nossa família pelo menos se divertia.

Minha mãe coloca a tampa na chaleira e olha para mim.

Eu sou um trêmulo desastre do quadril ao joelho. Tenho nas entranhas um calor terrível, uma coisa solta que me faz sentir vontade de enfiar os punhos entre as coxas. É uma sensação confusa — algo entre diarréia e sexo —, essa tristeza que é quase genital.

Deve ter sido por causa de algum namorado a última vez que chorei aqui. Lágrimas familiares, comuns, não significavam nada naquela cozinha; faziam parte do ruído geral apenas. A única coisa que importava era: *Ele telefonou* ou *Ele não telefonou*. Alguma catástrofe. Esse tipo de coisa que faz a pessoa se arrastar pelas paredes depois de cinco garrafas de cidra. *Ele me deixou*. Dobrada ao meio, apertando a barriga; uivando engasgada. *Ele nem telefonou para pedir de volta o cachecol*. O rapaz de olhos cor de turquesa.

Porque nós somos também, dá para adivinhar, grandes amantes, os Hegarty. Tudo olho no olho e foda repentina, e nunca, jamais, largar. A não ser pelos que não conseguiram amar de jeito nenhum. E que é a maioria de nós, de certa forma.

Que é a maioria de nós.

— É sobre o Liam — eu digo.

— Liam? — ela pergunta. — *Liam?*

Minha mãe teve doze filhos e, como me contou num dia duro, sete abortos. Os parafusos soltos que tem na cabeça não são culpa dela. Mesmo assim, nunca perdoei nada disso. Simplesmente não consegui perdoar.

Não perdoei minha mãe por minha irmã Margaret, que nós chamávamos de Midge, até que esta morresse, aos quarenta e dois anos, de câncer no pâncreas. Não a perdôo por minha linda, dissipada irmã Bea. Não a perdôo por meu primeiro irmão, Ernest, que era padre no Peru, até se transformar num padre apóstata no Peru. Não a perdôo por meu irmão Stevie, que é um anjinho no céu. Não perdôo a minha mãe toda a tediosa litania de Midge, Bea, Ernest, Stevie, Ita, Mossie, Liam, Veronica, Kitty, Alice e os gêmeos, Ivor e Jem.

Nomes tão épicos ela nos deu: nada dos seus Jimmy, Joe ou Mick. Os abortos podiam ter números, como "1962" ou "1964", embora ela talvez tenha dado nomes para eles também, dentro do coração (Serena, Aifric, Mogue). Não perdôo minha mãe por esses filhos mortos também. Por ela não ter nem mesmo mantido um caderno, para saber quem teve qual problema, quando e como. Eu sou a única mulher na Irlanda que ainda corre risco de contrair poliomielite? Ninguém sabe. Não perdôo as infindáveis roupas herdadas e os raros brinquedos, e Midge batendo na gente porque minha mãe era muito delicada, ou estava muito ocupada, ou ausente, ou grávida para se dar o trabalho.

Minha doce mãe. Minha garota sem idade.

Não, no fim das contas, não perdôo a ela o sexo. A burrice de trepar tanto. Aberta e cega. Conseqüências, mamãe. *Conseqüências.*

— Liam — eu digo, com muita firmeza. E o tumulto na cozinha se aquieta quando cumpro meu dever, que é contar a um ser humano sobre outro ser humano, os poucos e cautelosos detalhes de como encontraram seu fim.

— Eu sinto muito, mas ele morreu, mamãe.

— Ah — ela diz. Que é exatamente o que eu esperava que dissesse. Que é exatamente o som que eu sabia que ia sair de sua boca.

— Onde? — ela pergunta.

— Na Inglaterra, mamãe. Onde ele estava. Foi encontrado em Brighton.

— Como assim? — ela pergunta. — Como assim, "Brighton"?

— Brighton, na Inglaterra, mamãe. É uma cidade no sul da Inglaterra. Perto de Londres.

E então ela me bate.

Acho que nunca me bateu antes. Tento me lembrar depois, mas realmente acho que ela deixava as palmadas para os outros darem: Midge, claro, que estava sempre passando um pano em algum lugar e então batia o pano em você ao passar, na cara, no pescoço, atrás das pernas, e o cheiro daquela coisa, sempre achei, era pior que a dor da batida. Mossie, que era psicótico. Ernest, que era um tipo de homem solícito e de mão pesada. Continuando a lista, as surras perdiam autoridade e iam diminuindo, embora eu tenha tido uma certa fase, eu, com Alice e os gêmeos, Ivor-e-Jem.

Mas minha mãe está com uma das mãos em cima da mesa e gira a outra para me atingir do lado da cabeça. Não com muita força. Nada forte mesmo. Depois se vira, procura a bancada para se apoiar e se pendura ali, entre a bancada e a mesa; a cabeça afundada abaixo dos braços abertos. Durante um momento fica em silêncio e então um som terrível sai de dentro dela. Muito macio. Parece subir de suas costas. Ela levanta a cabeça e se vira para mim, de forma que posso ver seu rosto; a expressão dele, naquele momento, e como jamais voltará a ser o mesmo outra vez.

Não conte para mamãe. Era o mantra de nossa infância, ou um deles. *Não conte para mamãe.* Da parte de Midge, principalmente, mas também da parte de qualquer um dos mais velhos. Se alguém quebrava ou derramava alguma coisa, se Bea não voltava para casa ou Mossie ia morar no sótão, ou Liam tomava ácido, ou Alice fazia sexo, ou Kitty sangrava aos baldes no uniforme de escola novo, ou um vasto número de recados telefônicos sobre atrasos, engarrafamentos, problemas com dinheiro do ônibus, dinheiro do táxi e, uma vez, catastrófica, a noite de Liam na cadeia. Nenhum desses recados transmitido: a reunião cochichada no hall, *não conte para mamãe*, porque "mamãe" iria... o quê? Morrer? "Mamãe" ia se preocupar. O que, por mim, estava tudo bem. Afinal de contas, aquela família era obra dela mesma. Havia saído inteira, individual e dolorosamente, de dentro dela. E meu pai dizia isso mais que qualquer um; tranqüilo, galante, *não é preciso contar para sua mãe*, como se a realidade da cama dele fosse toda a realidade que se podia esperar que aquela mulher suportasse.

Depois que minha mãe estende o braço e me bate, pela primeira vez, à idade de setenta anos para os meus trinta e nove, minha cabeça incha, quase explode, com a injustiça daquilo. Acho que vou morrer de injustiça; acho que isso vai estar escrito no meu atestado de óbito. Que esse dever coubesse a mim, para começar, porque eu sou a filha cuidadosa, claro. Tenho carro, uma conta de telefone conveniente. Tenho filhas que não são obrigadas a brigar para saber quem vai usar o tênis da outra de manhã na hora de ir para a escola. Então sou eu a que tem de ir dirigindo até a casa da mamãe, tocar a campainha e me colocar em posição conveniente para apanhar por cima da mesa da cozinha. Não é por acaso que consegui ter essas coisas: marido, carro, conta de telefone, filhas. Então fico furiosa com cada um dos meus irmãos e irmãs, inclusive Stevie, morto há muito, e Midge, morta recentemente, e estou fervendo de raiva porque Liam morreu também, agora mesmo, quando eu mais precisava dele. Literalmente, estou fora de mim. Fico tão zangada que tenho uma segunda visão da cozinha, uma visão do alto, olhando para baixo: eu com minha manga molhada enrolada, o antebraço nu apoiado na mesa e, do lado oposto, minha mãe, cruciforme, a cabeça pendendo do triangulozinho branco do pescoço nu.

É ali que está Liam. Ali em cima. Eu o sinto como um grito na cozinha. É aquilo que ele vê: meu braço nu, nossa mãe brincando de avião entre a bancada e a mesa. Voando baixo.

— Mamãe.

O som continua saindo dela. Levanto o braço.

— Mamãe.

Não faz idéia do quanto foi feito por ela nos seis dias desde o primeiro telefonema da Grã-Bretanha. Ela foi poupada de tudo: Kitty percorrendo Londres e eu em Dublin em busca de registros dentários; a altura dele, a cor do cabelo e a tatuagem no ombro direito. Nada disso foi lido para ela como foi lido para mim hoje de manhã, por uma policial muito delicada que bateu na minha porta, porque eu sou a que mais o amava. Tenho pena das policiais: tudo o que elas fazem é cuidar de parentes, de prostitutas e de xícaras de chá.

Da boca de minha mãe agora está caindo saliva, em glóbulos e fios. A boca continua aberta. Ela continua tentando fechar, mas os lábios se recusam e — Meu Deus... meu Deus — ela diz.

Tenho de ir até ela, tocar nela. Tenho de pegar minha mãe pelos ombros, fazer com que endireite o corpo devagar e saia dali. Vou apertar os braços dela junto ao corpo quando a empurrar e levar até uma poltrona e colocar açúcar em sua xícara de chá, embora ela não tome açúcar. Vou fazer tudo isso em deferência a uma dor que é biológica, idiota, atemporal.

Ela choraria igual por Ivor, menos por Mossie, mais por Ernest e, inconsolavelmente, como todos nós, pelo adorável Jem. Ela choraria independentemente de qual filho fosse. Me ocorre que temos ali algo errado, porque sou eu quem perdeu alguma coisa que não pode ser recuperada. Ela tem muito mais.

Havia uma diferença de onze meses entre eu e Liam. Nós saímos de dentro dela um no rastro do outro; um depois do outro, mais rápido que uma suruba, mais rápido que uma infidelidade. Às vezes, acho que a gente esteve juntos lá dentro, que ele só saiu mais cedo para esperar do lado de fora.

— Você está bem, mamãe? Quer uma xícara de chá?

Ela olha para mim: muito miúda na poltrona grande. Me dá um olhar acusador, faz um movimento brusco com a cabeça. E isso cai em cima de mim como uma maldição. Quem sou eu para tocar, para manipular e descartar, a essência de um amor maternal?

Eu sou Veronica Hegarty. Parada na frente da pia com meu uniforme escolar; aos quinze anos talvez, dezesseis; chorando por um namorado perdido e sendo consolada por uma mulher que não consegue, por mais que tente, lembrar o meu nome. Eu sou Veronica Hegarty, trinta e nove anos, colocando açúcar numa xícara de chá para a mãe mais adorável de Dublin, que acaba de receber uma notícia terrível.

— Vou só telefonar para a sra. Cluny.

— Telefonar para ela? — mamãe pergunta. — *Telefonar* para ela? — Porque a sra. Cluny mora ali ao lado.

— É, mamãe — e, de repente, ela se lembra que o filho morreu. Confere de novo para ver se é mesmo verdade e confirmo com a cabeça de um jeito que parece fingido. Não é de admirar que ela não acredite em mim. Eu mal acredito em mim.

3

As sementes da morte de meu irmão foram plantadas muitos anos atrás. A pessoa que as plantou está morta há muito, pelo menos penso que está. Então, se quero contar a história de Liam, tenho de começar muito antes de ele nascer. E, na verdade, é uma coisa que vou adorar escrever: a história passada é um lugar tão romântico, com seus cocheiros, seus moleques de rua, suas botas abotoadas de lado. Se ela ao menos parasse quieta, eu penso, e assentasse. Se ela ao menos parasse de deslizar em torno de minha cabeça.

Então.

Lambert Nugent viu minha avó Ada Merriman pela primeira vez no salão de um hotel em 1925. Esse é o momento que eu escolho. Eram sete horas da noite. Ela aos dezenove anos de idade, ele com vinte e três.

Ela entrou no salão e não olhou em torno, sentou na cadeira de espaldar oval perto da porta. Lamb Nugent a viu no meio de uma onda de chegadas e instruções enquanto ela tirava a luva da mão esquerda e depois da direita. Ela puxou uma pulseira pequena de debaixo da manga e a mão que segurava as luvas repousou no colo.

Ela era linda, claro.

É difícil dizer como era Lamb Nugent aos vinte e três anos. Ele está enterrado há tanto tempo, que é difícil pensar nele como inocente, ou suado, quando tudo isso já virou pó.

O que ela viu nele?

Ele tem de ser remontado; clique claque; seus músculos ligados a ossos e envoltos em gordura, o todo coberto de pele e vestido num terno azul-marinho ou marrom: algo no corte das lapelas, talvez, que seja um pouco duro demais, e o cheiro em suas mãos seria já um pouco mais fino que fenol. Ele já possuía, mesmo então, o duro narcisismo do homem comum, e todos os seus atos de amor por si mesmo eram ao mesmo tempo sutis e exatos. Ele não se exibia. Lamb Nugent observava. Ou não tanto observava como deixava que as coisas penetrassem nele: o mundo, com todas as suas nuances de quem devia o que a quem.

Que foi o que ele viu, provavelmente, quando minha avó entrou pela porta. Os olhos de bebê dele. As duas pupilas pretas, nas quais a dupla imagem de Ada Merriman andou e sentou. Ela estava vestida de azul, ou ao menos imagino assim. Seu ser azul acomodou-se nas dobras cinzentas do cérebro dele e lá permaneceu pelo resto de sua vida.

Eram sete e cinco. A conversa no salão era sobre chuva e o que fazer com o cocheiro e se seria necessário uma bebida; depois disso, o aglomerado das chegadas passou a ser uma linha contínua pela porta frontal do salão e dois criados foram postos à disposição; ela em sua bela cadeira, ele com o cotovelo no balcão alto da recepção, como um homem parado num bar.

Posição em que permaneceram durante três horas e meia.

Eles pertenciam às ordens inferiores. Esperar não era problema para eles.

Ada não fingiu notá-lo, de início. Isso podia ser a coisa mais polida a fazer, mas acho também que ele possuía isso já de cara, esse truque de não existir muito. E os acessos de fúria que ele tinha no fim da vida devem ter sido, em 1925, o fluir normal de paixões e jovens esperanças. Se Nugent sofria de alguma coisa, naqueles dias primevos, era de decência. Era um homem decente. Não era alguém muito acostumado a hotéis. Não estava acostumado com mulheres que mostravam tamanha precisão na maneira de despir uma luva. Não havia nada em sua história que o tivesse preparado para Ada Merriman. Mas ele se surpreendeu ao descobrir que estava pronto para ela mesmo assim.

Atrás do balcão alto, o pequeno porteiro pendurou uma chave no quadro, depois saiu para atender um chamado. Voltou ao balcão, escreveu uma nota e saiu outra vez. Uma criada entrou da cozinha dos fundos trazendo uma bandeja de chá. Subiu a escada, virou num corredor superior e nunca mais voltou. Os dois estavam sozinhos.

Tanta discrição. Porque Dublin estava cheia de mulheres orgulhosas, assim como de homens decentes, e podia-se fazer barulho a respeito ou podia-se, como esse par, ser tranqüilo e silencioso. E na quietude de sua atenção os dois se deram conta da força do outro e do fato de que nenhum dos dois seria o primeiro a se afastar.

São tão poucas as pessoas que nos é dado amar. Quero contar isso a minhas filhas, que toda vez que a gente se apaixona é importante, mesmo aos dezenove anos. Principalmente aos dezenove anos. E se alguém puder, aos dezenove anos, contar numa mão as pessoas que ama, aos quarenta não faltarão dedos na outra. São tão poucas as pessoas que nos é dado amar e elas todas permanecem.

Então, lá está Nugent, pregado a Ada Merriman antes de o relógio marcar um quarto de hora. E ela a ele, por implicação: porém ela ainda não sabe disso, ou não dá a impressão de saber disso. No entanto, a luz diminui e nada acontece. A criada que nunca descia de volta atravessa o salão com outra bandeja de chá, sobe a escada de novo e desaparece mais uma vez no escuro do corredor de cima. Na sala atrás do balcão de recepção, eles ouvem alguém abrir uma porta e perguntar por uma certa srta. Hackett. E Ada Merriman olha para uma respeitável distância intermediária, onde Lamb Nugent não acredita em uma palavra do que ela diz.

O ar entre eles é rarefeito demais para o amor. A única coisa que pode ser atirada através do ar da cidade de Dublin é uma espécie de escárnio.

Eu conheço você.

Mas é tarde demais para tudo isso. Já aconteceu. Aconteceu quando ela entrou pela porta; quando ela olhou em torno, mas só até onde estava a cadeira. Aconteceu na perfeição com que ela conseguia estar presente, mas não ser vista. E todo o resto era apenas agitação: em primeiro lugar que ela o notasse como ele a notara (e ela notou, notou sua imobilidade), e em segundo lugar que ela o amasse como ele a amava; repentinamente, completamente e muito além do que lhes era destinado em sua posição social.

Ada o lê com o lado do rosto; a penugem de sua face se eriça com tudo o que precisa saber sobre o jovem que está parado do outro lado da sala. É o começo de corar, essa informação, mas Ada não fica vermelha. Ela olha a pulseira: uma corrente fina em ouro rosado, com um T no fecho, como a corrente de um relógio. Com o dedo ela brinca com essa pequena anomalia: uma coisa masculina em seu punho de garota, e sente a descrença de Nugent pesar contra ela. A seguir, ela levanta a cabeça muito ligeiramente para dizer: "E daí?"

Bem atrevida.

Ele poderia odiá-la agora, embora Nugent seja jovem demais, aos vinte e três anos, para colocar um nome na emoção que toma conta dele e desaparece, levando com ela uma alteração no ar. Algo se abre. Um zéfiro. O que é?

Desejo.

Treze minutos depois das sete da noite o desejo sopra nos jovens lábios de Lamb Nugent: calado! Ele sente sua terrível proximidade. O impulso de agir atravessa seu corpo, mas ele não se mexe. Guarda seu território enquanto, do outro lado da sala, a imobilidade de Ada torna-se triunfante. Se ele for muito paciente, ela pode olhar para ele, agora. Se ele for muito humilde, ela pode determinar os seus termos.

Ou talvez não. Nada foi dito. Ninguém se mexeu. É possível que Nugent esteja imaginando tudo. Ou eu esteja. Talvez ele seja uma coisa patética aos vinte e três anos: todo boné de *tweed* feito em casa e pomo-de-adão; talvez Ada não o tenha nem notado do outro lado da sala.

Mas estamos em 1925. Um homem. Uma mulher. Ela *deve* saber o que está à espera de ambos. Ela sabe porque é bonita. Ela sabe por causa de todas as coisas que aconteceram depois. Ela sabe porque ela é minha avó e quando colocava a mão no meu rosto eu sentia a proximidade da morte e era confortada por isso. Não há nada mais perscrutador que o toque de uma velha; tão amoroso ou tão horrendo.

Ada era uma mulher fantástica. Não tenho outra palavra para ela. Pela postura dos ombros e pela maneira como trotava pela rua, a sacola de compras batendo no quadril. Nunca estava de mãos vazias, e nunca se notava o que havia nelas: tudo que precisasse ser dobrado, ou lavado, ou mudado, ou esfregado. Nunca se via Ada comendo também, porque ela estava sempre ouvindo o outro, ou falando; a comida simplesmente desaparecia; como se na verdade não entrasse num orifício em seu rosto. Em outras palavras, suas maneiras eram perfeitas, e contagiosas. Mesmo aos oito anos de idade, eu sabia que Ada tinha charme.

Mas como Nugent sabia disso, antes mesmo de ela abrir a boca para falar com ele? Só posso supor que isso não importou, que houve fases e estágios na ligação dele (ele a odiava, afinal, antes das sete e quinze), cada um dos quais ele teria de reviver em ciclos mais longos (de anos ou décadas), teria de ir do amor a um tipo de desdém, teria de ser batido pelo ódio e tocado pelo desejo, teria de encontrar uma humildade final e assim começar a amar de novo. E a cada vez ele aprenderia mais a respeito dela (mais a respeito de si mesmo talvez), e nada que aprendesse faria qualquer diferença. Aos catorze minutos depois das sete da noite, estão de volta ao ponto onde começaram.

Mas e o amor?

Nugent faz um gesto, então, bem repentino. Ele abaixa a cabeça e esfrega a raiz dos cabelos. Será possível que ela possa amá-lo também? Que voltem ao momento em que ela entrou pela porta e superem essas mesquinhas preocupações com troca e perda?

Ah, sim, diz o perfil triste de Ada. E ela pensa no amor por um momento.

Nugent sente vibrar a raiz profunda do pênis: o futuro, ou o começo do futuro. Ninguém os interrompe, então. Alguém estrangulou a empregada num quarto do andar de cima; o fantoche de porteiro está jogado numa cadeira. Há cinco metros de carpete entre eles. Nugent pensa no inchaço de suas glândulas saindo de seu saco de pele e Ada pensa no amor, quando o relógio do hotel gira, faz um suave som de moer e ronrona para tocar o quarto de hora.

Di di di di dah!

Dah dah di di dah!

Revivido, convocado, o porteirinho trota na penumbra do salão com um pequeno apoio de pés que coloca debaixo de uma lâmpada na parede. Trota de volta e sai outra vez com uma vara de pavio levantada, a chama esmaecida pela última luz do dia. Sobe no banquinho para retirar a manga, liga o gás, toca o pavio aceso e, antes que seja tarde demais, consegue acender o gás. A lâmpada chia, oca e azul, até assentar no fulgor amarelo-esverdeado da manga de incandescência, e a luz mergulha e inunda a sala. O salão fica tomado pelo cheiro de gás, seguido do cheiro cálido de papel queimado, com os flocos pretos que caem dos movimentos rápidos dos dedos do homem. Ele recoloca a manga, leva o banquinho para debaixo da outra lâmpada e sai.

Em sua ausência, a sala pulsa mais escura. E mais escura ainda.

Ele volta. Nugent e Ada olham ambos para ele enquanto completa o ritual da lâmpada e do banquinho; suas entradas e saídas; sua horrível pose ao se deslocar junto às paredes para a quarta e última lâmpada, que fica acima da cadeira onde Ada está sentada. Ele coloca o banquinho ao lado dos pés dela, como se se curvasse, e se afasta de novo. Depois de um longo momento, volta com uma chama que poderia pegar, mas não pegou, na lareira acesa. Ele talvez não quisesse se curvar na frente deles, embora não tenha nenhuma reserva em fazer Ada se levantar. Ele pára na frente dela, fazendo o pavio aceso respingar para cá e para lá, protegendo a chama com o papel. Ele olha para o rosto dela. E espera.

O vestido de Ada farfalha junto ao corpo quando ela se põe de pé. E podia bem cair inteiramente ao chão a seus pés; o vestido podia ser feito de água, podia ser uma poça de cor em torno dos pés dela, tão nua ela parece agora. Nugent olha bem abertamente quando ela junta as mãos diante do corpo e baixa os olhos. De início, fica com pena dela, depois não mais. Ele por fim se mexe ao lado do balcão e se conforta com o cheiro que emana num suspiro de dentro da camisa. Graças a Deus por isso. Não é culpa dele.

Esteve na Pró-Catedral naquela manhã, para a missa matinal. Seguiu na fila junto com outros homens para a Sagrada Comunhão. Eles tinham no rosto o ar tão esfaimado quanto o dos pobres na fila da sopa. E quando se levantou depois de ajoelhar, ele o fez como um homem decente: lento de andadura, carregando o peso desta vida na terra, triste pelas pessoas que amava. Valente.

Estavam na Quaresma. Nugent havia suspendido o toucinho, as salsichas e todo tipo de miúdos pelo período todo, e também as bebidas fortes. Seu corpo foi lavado pelo trabalho de sua alma: portanto, o cheiro que sobe de dentro de sua camisa tem algo a ver com o ar de primavera ali dentro, um laivo do sabonete matinal, a mistura calada de um dia de trabalho. O tecido de seu terno está decentemente usado e o colarinho da camisa decentemente limpo, e sua vida se estende à sua frente a declinar decentemente para uma sólida meia-idade.

Com uma pequena interrupção: porque não há nada de decente no brilho de seus olhos de bebê que olham para Ada Merriman no salão do Belvedere Hotel.

Ela retribuiu seu olhar. De pé, nua, por assim dizer, com as mãos juntas à frente do corpo, ela levantou o rosto e olhou nos olhos dele.

Esse é o choque. O choque é o ser completo de Ada Merriman. Suas pupilas se dilatam para recebê-lo; abrem-se depressa e Nugent sente-se grato pelo apoio da parede de madeira do balcão a seu lado.

Então eles sorriem. Ada sorri. Como se houvesse alguma piada na sala, que ela quisesse repartir com ele.

Nugent olha para ela. Imagina qual parte do corpo dela ela acha tão divertida. Serão os seios, ou o pescoço? Ou ela não se dá conta de que está nua (está, afinal de contas, completamente vestida) ou não se importa com isso. Ela pode estar rindo do homenzinho que acende as lâmpadas. Ou pode estar rindo para ele: parado ali como um pateta com um volume na calça. E os olhos de Nugent incham com a injustiça daquilo, com a força do amor negado.

Só que, como pode lhe dizer o pequeno acendedor de lamparinas, ela não negou nada a ele, ainda. Ela não o negou, absolutamente.

A lâmpada de gás borbulha e chia baixinho quando o banquinho é retirado e o homem se afasta, ligeiramente inclinado para esses dois amantes em cínica corte, como se pudesse entender tudo, o acasalamento (que apalpações), o dinheiro, as mentiras que já começaram a contar. Ah, se fosse uma canção dava para cantar. Se fosse uma canção, dava para batucar com colheres. Sobretudo na Dublin de 1925.

Isso tudo eu estou romanceando, claro. Todo mundo teve uma avó bonita: algo a ver com a cor sépia e a flor de laranjeira em seus cabelos. Também o olhar firme naqueles olhos antiquados. Não sabemos mais ser valentes, como uma noiva era valente naquela época. Eis a fotografia de casamento de Ada: ela usa o véu baixo dos anos 1920 e a seda de seu vestido mostra a costura de pontos macios, feitos à mão, como uma linha de marcas na barra. Ela era pura e se queimou. Ada Merriman, minha modesta, ardente avó, era a coisa sobre a qual escreviam os poetas em 1925.

Ela tem os meus pés. Ou eu tenho os pés dela: compridos, com dedos separados. Também tornozelos de ossos largos e canelas chatas, sem fim, que me faziam sentir tão desengonçada na escola até eu aprender a usá-las direito. Eu tenho um corpo caro, compreendi em algum momento de 1979. Não é uma coisa sexual. Advogados querem ter filhos comigo e arquitetos querem que eu sente em suas novas cadeiras Eames. Nada muito grande na frente, só esguia e alta. Então eu me visto bem, acho, embora ninguém consiga me convencer a usar uma saia que bata no meio da canela, para mostrar meus tornozelos de travesti e meus pobres pés cheio de nós.

Então havia algo patético nos pés grandes de Ada nos sapatos de cetim. Ela está casada. Está feliz. Ou pelo menos eu acho, quando coloco sua foto de volta na caixa de sapatos que agora guarda todos os remanescentes da história dela.

Ela não se casou com Nugent, você vai ficar aliviado de saber. Casou com o amigo dele, Charlie Spillane. E não só porque ele tinha um carro.

Mas ele nunca a deixou. Minha avó era o ato mais imaginativo de Lamb Nugent. Posso não perdoá-lo, mas é isso, a maneira como ele permaneceu fiel, que mais define o homem, para mim.

4

Do telefone de mamãe no hall, ligo para as pessoas desoladas em Brighton e Hove e elas me dão o número de um agente funerário que muito gentilmente anota os dados de meu cartão de crédito que tenho em mãos. É preciso pensar no caixão, claro, e por alguma razão eu já sei que vou escolher o de carvalho lixado: uma decisão que cabe a mim, porque eu sou a que mais gostava dele. E quanto vai custar tudo isso?, penso ao desligar o telefone.

A sra. Cluny vem da casa vizinha, absolutamente silenciosa. Passa pelo hall e invade a cozinha, fecha a porta. Depois de um breve tempo, escuto a voz de minha mãe começar a falar muito baixo.

Não tenho paciência para o velho disco circular do telefone, então troco para o meu celular e caminho pela casa enquanto telefono para todos eles, em Clontarf e Phibsboro, em Tucson, Arizona, para dizer: "Má notícia, sobre o Liam. Isso. É, sinto muito, é isso." E: "Estou na mamãe. Chocada. Muito chocada mesmo." A notícia será discutida em linhas leves e suaves demais para se definir. Jem vai ligar para Ivor, e Ivor vai ligar para a esposa de Mossie, Ita vai descobrir o padre Ernest em algum lugar ao norte de Arequipa. Depois, vão todos ligar de novo para cá mais tarde, ou suas esposas ligarão, para saber os horários, os motivos e os detalhes mórbidos, os vôos.

Passeio pela penumbra dos quartos de nossa infância e não toco em nada.

Todas as camas estão arrumadas e prontas. As meninas dormiam em cima e os meninos embaixo (tínhamos um sistema, sabe). É um viveiro. O beliche dos gêmeos está num quartinho à esquerda da porta do hall, onde o bebê Stevie morreu. Na frente desse quarto, há uma porta para a ampliação da garagem, com três camas de solteiro. Mais além, fica, de novo, a galeria do jardim, onde Ernest dormia num colchão no chão, depois Mossie, quando Ernest foi embora, e Liam por último.

O teto inclinado da galeria é feito de telhas corrugadas de resina transparente. O colchão ainda está ali, encostado na porta amarela do jardim, com sua janela de vidro jateado. O pôster de Marc Bolan que Liam tinha sumiu, mas ainda dá para ver os pedaços de fita adesiva suja pregados na parede de blocos de concreto.

Foi aqui que eu fumei o primeiro cigarro da minha vida.

Sento no colchão, que está coberto com uma manta azul áspera, e telefono para meu último irmão, o menor.

— Oi, Jem. Não, está tudo bem. Mas tenho más notícias, sobre o Liam. — E Jem, o mais novo de nós, o mais fácil e o mais amado, diz: — Bom, pelo menos acabou.

Tento falar com Kitty de novo e escuto o telefone tocar em seu apartamento de Londres vazio. Me deito, olho para o teto corrugado transparente e me pergunto como se pode desfazer todos esses puxados e ampliações, fazer o lugar voltar a ser a casa que um dia foi. Se seria possível desconstruir tudo e começar de novo.

Quando Bea chega, abro a porta para ela e a seguro por ambos os braços, giramos assim quando ela passa por mim e entra no hall escurecido. Sigo com ela para a luz amarela da cozinha e vejo que minha mãe envelheceu cinco, talvez dez anos, no tempo que levei para fazer os telefonemas.

— Boa noite, mamãe. Quer tomar alguma coisa? Quer que eu chame um médico, para dar alguma coisa para você dormir?

— Não, não. Obrigada.

— Eu vou para lá, cuidar das coisas — digo.

— Para a Inglaterra? — ela pergunta. — Agora?

— Eu telefono, tudo bem?

A face dela, quando a beijo, está terrivelmente macia. Olho para Bea, que me devolve um olhar sombrio, cheio de culpa.

Não conte para mamãe.

Como se fosse culpa minha.

Meu pai ficava sentado na cozinha assistindo à televisão até as onze da noite, com o jornal abandonado no colo. Depois do noticiário, ele dobrava o jornal, levantava da cadeira, desligava a televisão (independentemente de quem a estivesse assistindo) e se preparava para ir para a cama. As garrafas de leite eram lavadas e colocadas no degrau. Um dos gêmeos podia ser levado ao troninho e colocado de volta para dormir. Então, ele entrava no quarto onde dormia com minha mãe. Ela já estava deitada, lendo e suspirando desde nove e meia. Haveria conversas em voz baixa, o som das chaves e das moedas dele colocadas na mesa. O bater da fivela de seu cinto. Um sapato que caía no chão.

Silêncio.

Havia garotas na escola cujas famílias cresciam a robustos cinco ou seis membros. Havia garotas com sete ou oito, o que era considerado um pouco entusiasmado, e depois havia as patéticas, como eu, cujos pais não conseguiam se controlar e se reproduziam com a mesma naturalidade com que cagavam.

Em vez de virar para a esquerda ao sair da casa de mamãe, viro à direita na direção do aeroporto. Não penso para onde estou indo, penso na chuva, no velocímetro, no raspar do limpador de borracha contra o vidro. Não penso em nada, não há nada em que pensar. Então penso num drinque. Nada complicado. Um feroz traguinho de uísque, talvez, ou de gim. Flutuo na direção disso no meu lindo Saab 9.3, na direção da idéia disso, florescendo em minha boca.

Sempre fico com sede quando saio daquela casa, alguma coisa a ver com a injustiça do lugar. Mas não vou beber. Ainda não. Kitty ficou tão chocada na hora que eu telefonei que tudo o que consegui ouvir pelo telefone foi um uivo idiota.

— Ahujz. Ééééé — ela disse. — Éééé. Éééé siim. Polís. Aih. — Do que eu acho que concluí que uma policial devia ter ido à casa dela também. E que era, sim, uma péssima espera: embora não muito longa. Sendo que o truque, eu queria dizer a ela pelo telefone, o truque era ficar bêbada depois da notícia e não antes. É uma tênue linha divisória, Kitty, mas achamos que é importante. Lá fora, no mundo real, achamos que faz diferença. Fato / Conjetura. Morto / Vivo. Bêbado / Sóbrio. Lá fora, no mundo, não é o mundo da família Hegarty, nós achamos que essas coisas Não São a Mesma Coisa.

Claro que eu não disse nada disso. Eu disse:

— Hum uhm, ah meu Deus.

E ela disse:

— Ai dess. Ai eli.

E eu disse:

— Ah ah ah ha ah meu Deus.

E assim continuou até que um homem pegou o telefone e falou:

— É a irmã da Kitty? — num lindo sotaque do sul de Londres. E eu tive de ser gentil com ele, e me desculpar um pouco por meu irmão ter morrido bem na tarde da quinta-feira dele.

Percebo que estou indo na direção contrária à da minha casa, então paro o carro e no sinal fechado telefono para meu marido, Tom, e digo que não vou voltar para casa esta noite. Não quero que as meninas me vejam, ou sintam pena de mim, até eu resolver essa história.

Ele diz que vai ficar tudo bem, muito bem. Vai ficar tudo bem. A voz dele está tremendo um pouco e me dou conta de que se eu não terminar logo a ligação ele vai dizer que me ama, de que essa é a próxima coisa que ele vai dizer.

— Está tudo bem — eu digo. — Tchau, tchau. — E volto para o tráfego e para o caminho do aeroporto.

Existe uma coisa maravilhosa na morte, como as coisas todas se fecham e as atitudes que você considerava vitais não são nem vagamente importantes. Seu marido pode dar comida para as crianças, pode lidar com o forno novo, pode encontrar as salsichas na geladeira afinal. E a reunião importante dele não era importante, nem um pouquinho. E alguém vai buscar as meninas na escola e levá-las de novo de manhã. Sua filha mais velha consegue lembrar do inalador e a mais nova vai levar a roupa de ginástica, e é exatamente como você desconfiava: a maior parte das coisas que você faz são besteiras, besteiras totais, a maior parte do que se faz é só resmungar e choramingar e conduzir pessoas que têm preguiça até de amar você, até disso, quanto mais de encontrar os próprios sapatos debaixo da própria cama; pessoas que viram e acusam, gritando às vezes, porque você encontrou só um pé.

E eu agora estou chorando, a caminho do aeroporto, furibunda à direção do meu Saab 9.3, porque até a reunião que o marido tem, a reunião vital, não era importante (como você pode jamais, por um instante que seja, pensar que essas coisas são importantes?) e ele ama você absolutamente pela meia hora ou meia semana em que seu irmão é um morto recente.

Eu talvez devesse estacionar, mas não estaciono: vou chorando e dirigindo o caminho todo. Na avenida Collins, um homem parado no meio do trânsito contrário olha para mim, que estou chorando e gemendo em minha elegante caixa de lata. Ele está a menos de um metro de mim. Simplesmente está ali. Me dá um olhar de completa compreensão e segue em frente. Isso acontece com todos nós.

E o que me deixa surpresa ao chegar à via expressa não é o fato de que todo mundo perde alguém, mas que todo mundo ama alguém. Parece uma perda tão maciça de energia; e nós todos fazemos isso, todas as pessoas rodando pelas faixas brancas, a se intercalar, convergir, ultrapassar. Cada um de nós ama alguém, mesmo sabendo que eles vão morrer. E continuamos amando, mesmo quando não estão mais lá para a gente amar. E isso não tem nenhuma lógica, nenhuma utilidade, assim eu vejo.

No aeroporto, rodo para lá e para cá pelo estacionamento, andar por andar, até sair para o céu da noite. Liam costumava caçoar de mim por causa disso. Todo mundo costumava caçoar de mim. O jeito como eu sempre estaciono no espaço que fica mais próximo dos aviões: e esse espaço é lá no teto, lá fora, na chuva.

Desligo o motor e olho as gotas que deslizam pelo pára-brisas.

A última vez que eu o trouxe aqui, não via a hora de ele ir embora.

Sério mesmo. A última vez que eu o trouxe aqui, fiquei sentada um momento, olhando direto para a frente, e o volume dele no banco da frente ao meu lado era notável: aquele amontoado cinzento que era ele, quando virei e falei para o irmão que eu conhecia... meu Deus! Aquela coisa cinzenta com a camisa por lavar, aquele horrendo filho-da-puta, para quem eu me virei e disse:

— Então. Tem muito tempo ainda.

Fui andando ao lado dele até o portão de embarque e o observei passar. Me perguntei se era possível ele voltar. Me ocorreu que isso talvez não fosse contra a lei. A pessoa pode ir até o portão de embarque e mudar de idéia. Pode levantar do assento de dentro do avião, mudar de idéia e voltar pelo caminho por onde foi, de volta para a Irlanda, para infernizar todo mundo por mais um tempinho.

Geralmente, os irmãos das pessoas vão ficando menos importantes com o tempo. Liam resolveu não fazer assim. Ele resolveu continuar importante até o fim.

Um avião passa rugindo baixo e, quando desaparece, estou pendurada na direção, com a boca aberta. Ficamos ali travados, eu e meu carro, por um bom tempo, depois eu levanto o corpo e abro a porta.

Enquanto estou fazendo isso — dando meu grito mudo em meu Saab conversível no estacionamento do aeroporto na chuva —, posso ver Liam rindo de mim. Ou sinto a ausência dele rindo de mim. Porque em algum lugar, lá do outro lado, o lugar que não se vê direito, ele está inteiramente lá e não mais aqui. Ele não está infeliz, eu me dou conta, agora que está morto. Mas não é apenas o *humor* dele que sinto como um calor na base da coluna. É o ser desaparecido, morto, essencial dele. É o seu próprio coração, totalmente desaparecido, ou desaparecendo agora.

Tchau Vee

Tchau

Tchau

Abro a porta e saio para a chuva.

5

Eis meu avô, Charlie Spillane, dirigindo pela rua O'Connell em direção a sua futura esposa no Belvedere Hotel.

São dez e meia de uma terça-feira à noite. É Quaresma. Uns poucos casais profanos saem do Gresham ou do Savoy Grill para pegar o bonde ou começar a caminhada para casa, mas a cidade está sossegada. O carro de Charlie é cinza-escuro e quando ele desliza debaixo de um poste de luz uma piscina de couro azul se abre na noite. A capota está abaixada, os metais brilham e a cabeça de Charlie rebrilha. É uma coisa linda aquele carro, que não é bem de Charlie: embora esteja com ele há tanto tempo que se possa concluir que o homem que deixou o carro com ele não vá voltar.

Esse é o carro que morava na garagem de Ada quando eu era criança, um Morris Bullnose, com uma velha capota rachada, como a capota de um carrinho de bebê gigante. Na época que eu o vi, não sobrava muita coisa, nem portas tinha mais. Eu sentava no banco da frente e ouvia os camundongos correndo pelo motor, no silêncio das tardes de verão.

Ou então "vruum, vruum!", Liam fazia, ao meu lado. "Vruum vruum."

Em 1925, o carro ainda era uma coisa linda. Charlie vai acelerando com tremendas mudanças de marchas e pedais. Nugent acha que ele não devia dirigir aquilo de jeito nenhum, tão desastrosa é essa técnica atritante de bombear para molas e válvulas. Os freios da frente estão rachados numa poça de seu próprio fluido, em cima da mesa de seu quarto alugado. Nugent também não é o dono do carro, mas tem adoração por ele. Parado no salão do Belvedere Hotel, ele está à escuta do motor sem saber à escuta de que está. Charlie, enquanto isso, está percorrendo Dublin só com os freios de trás, procurando um homem por causa de um cachorro.

Ele é esquivo, Charlie. Não gosta de finais. Não gosta nem de começar coisas. Quando se apaixona é só porque descobre que aquilo já está escapando dele. Ele agarra Ada, em outras palavras, no momento em que ela está se virando para ir embora.

Mas Ada não conhece Charlie ainda. Ada Merriman está parada no salão do Belvedere Hotel e olha para Lamb Nugent, enquanto lá fora Charlie Spillane corre pela rua Great Denmark, em direção à esposa que ainda não conhece. Ele está para empurrar a porta do Belvedere Hotel, está quase entrando, quando a agulha da torre da igreja Findlater lhe traz à cabeça uma coisa e ele sai correndo para o The Hut em Phibsboro, para ver um homem por causa de um cachorro.

Nugent apura um ouvido para o escapamento do motor. Há uma pausa quando o motor silencia e depois o silêncio começa a se espalhar. Infiltra-se no salão do Belvedere; o bulício da rua se transformando de diurno em noturno, enquanto a noite se aprofunda e em outros lugares começam a beber. Enquanto mulheres ninam seus bebês e homens descalçam suas botas, e garotas que trabalharam até de noitinha se lavam em quartos distantes e se olham num caco de espelho, antes de sair para trabalhar de novo.

Do outro lado da sala, a respiração de Ada é tão rasa e suave que ela podia ser um anjo a ocupar no momento a figura de uma boneca. Seu pescoço é uma coluna, como diria o poeta, e seus lábios esculpidos fechados na luz.

Uma brasa gasta desliza na lareira com um chiado e um clinque.

Aí vêm os mortos.

Eles se encolhem pelas paredes e buscam o último calor do fogo: a irmã de Nugent, Lizzy; a mãe dele, que não gosta nem um pouco de estar morta. Os fantasmas de Nugent gorjeiam, brancos e não-mitigados, enquanto os de Ada não fazem nenhum som.

Por que isso?

Ela é órfã. Claro.

Um rosto aparece na porta de vidro da entrada e empurra. Um rosto ágil, marcado de cicatrizes, com uma barba.

Aparece e se retira. Os mortos se dispersam, mas depois de um momento começam a voltar e, como se Ada não conseguisse suportar aquilo, ela se levanta e caminha até o balcão, onde toca a campainha.

Ding ding!

Estão parados lado a lado (afinal!), Ada e Nugent ao balcão, e ela acha isso divertido. A liberdade e a vontade dela são um insulto e uma provocação para Nugent: pobre Nugent, que sente o meio metro entre eles mais agudamente do que qualquer outra medida de ar. Que introduziria qualquer parte sua em qualquer parte dela e encontraria alívio nisso. Que colocaria as mãos na barriga dela, para sentir o calor e o movimento de suas entranhas.

Não ria.

— Este tanto — ele quer dizer. — Eu já amo você este tanto.

— Olá. Olá, por favor.

O porteiro vem nadando do escuro de sua sala nos fundos.

— Teria alguma coisa como um rum quente para o cocheiro? Para o homem que está lá fora? — Ela se volta para Nugent e diz: — Não sei por que faço isso por ele, ele nunca está quando a gente procura. Só para evitar que ele vá embora, talvez.

Então, ela volta para sua cadeira junto à porta. Tem só dezenove anos, afinal. E ele tem apenas vinte e três.

— Tenho um amigo que tem um carro — ele diz, de repente.

— É? — Ela se detém; interessada e audaciosa.

— Ele deve chegar a qualquer minuto, já devia ter chegado.

— Eu adoraria entrar em um carro — diz Ada. — Estou louca para entrar em um carro.

E se volta para sentar na cadeira.

Ah, uma corda para puxar a cadeira de debaixo dela, Nugent atravessando a sala correndo para pegá-la nos braços. Podiam se beijar em preto e branco, ela se viraria para o letreiro:

Pare!

Porque não é apenas Quaresma, é primavera. De que outro jeito podia ser? Ada Merriman é bonita e Lamb Nugent não é nada melhor do que deveria ser, e isso é tudo o que precisamos saber: que quando ela entrou pela porta e sentou com uma graça tão tranqüila naquela cadeirinha de encosto oval, ele viu uma esposa em quem ninguém via falha alguma. Nem um tiquinho.

Um carro estaciona lá fora. Nugent escuta o motor pulsando e o olhar que dá para Ada se transforma num olhar de dor e adeus: como se a situação fosse de alguma forma impossível. Mas não é impossível, e o alarme que dispara entre eles então é apenas uma outra forma de deleite.

Não há mais nada que façam sozinhos. Não mais.

Juntos eles se voltam, quando Charlie Spillane entra pela porta, cheio de bebida, repleto de promessas quebradas e compromissos perdidos. Confere com os olhos Nugent encostado no balcão da recepção, depois olha em torno até ver a figura de azul, sentada diante da parede junto à porta. Oh.

— Madame — diz ele, tirando o chapéu (imaginário) —, espero que este sujeito tenha lhe feito companhia.

E Ada ri.

Só isso. Com um movimento de braço, Charlie alterou a matemática de tudo: de seu futuro e do meu passado.

Ali estão os dois amigos, deixando Ada Merriman.

Charlie indica a porta do hotel para seu parceiro e caminha para fora. Senta-se de novo em seu Morris Bullnose e pega as luvas de dirigir. Depois esfrega o rosto com elas. Esfrega o rosto como um homem que parou de chorar, depois de chorar um longo tempo. Nugent senta a seu lado. Charlie dá uma afogada no carro, avança com um solavanco sobre o calço de que se esqueceu e segue em frente.

Conways está escuro. Circundam a Rotunda e param de novo na rua Parnell, onde encontram um congestionamento na sala dos fundos do Blue Lion, um pub pecaminoso. O ar tem cheiro de dano recente; cheiro de alguma coisa que queima saindo das edículas dos fundos.

— Uma cerveja e uma limonada — diz Charlie.

Provam a bebida e olham, circunspectos, a clientela criminosa do Blue Lion. Charlie está insatisfeito com o carro enquanto Nugent examina o grão da madeira e o brilho do suporte baixo, de latão.

A caminho de casa, Nugent se empina no banco para ficar com a cabeça um pouco mais alta que o pára-brisas dianteiro do carro e deixa que o ar da noite estapeie seu rosto. Ao rodarem pelo Green, ele observa as garotas que, mesmo sendo Quaresma, estão à espera de que os grã-finos venham a Shelbourne: uma série de ovais brancos, seus rostos giram ao som do carro como folhas ao vento.

Ele se deixa cair de novo no assento quando param suavemente, um pouco adiante da porta de sua casa.

— Dê uma olhada, tudo bem? — diz Charlie, referindo-se ao tambor do freio, que está aberto em cima da mesa do quarto de Nugent.

— Eu dou — diz ele e da porta de casa acena adeus para Charlie.

Lá dentro, Nugent olha o seu quartinho; a cama estreita, a janela, com duas cortinas de renda amarradas dos dois lados como um cabelo repartido em cima de uma carinha quadrada. Olha a mesinha: o freio quebrado do Morris Bullnose, lindo como um quadro de maçãs ao luar. Ele começa a desabotoar a camisa, parado no escuro. A camisa se abre, um botão de cada vez. Forma um V sobre a pele de seu peito. Descendo e descendo. E Nugent se põe de joelhos. De joelhos arranca a camisa, e a bate atrás de si, de forma que os botões golpeiam suas costas, uma, duas vezes; e começa as orações da noite.

Aí vem ela.

Lizzy.

Sua irmã. Mais jovem que ele. Ela morreu. O quarto em que cresceram está cheio do úmido ronco de seu peito; o horrível gorgolejar de muco e o chocante vermelho vivo. Nugent não se esquece do rosário noturno, recitado a uma distância segura e terrível da cama dela; os dedos brancos mexendo sobre a colcha com as contas, ou a luz sombria em seus olhos quando o observava, como se enxergasse através de seus ossos. A puberdade dele próprio não notada, quase que nem por ele mesmo, enquanto os pequenos seios dela cresciam debaixo da camisola. Ela caminhava para a morte e para a feminilidade no mesmo ritmo, os mamilos como uma ferida que se expande, os seios crescendo, e deixando de crescer sobre pulmões duros de doença. E, então, ela morreu.

Isso basta para ele pensar, enquanto está de joelhos?

Que quando segura o próprio pênis à noite, a sensação é igual à pele fina dela; sempre úmida, nunca suada. Porque, naquele tempo, as pessoas costumavam se misturar das maneiras mais desagradáveis.

6

É assim que vivo minha vida desde que Liam morreu. Fico acordada a noite inteira. Escrevo, ou não escrevo. Ando pela casa.

Nada assenta aqui. Nem a poeira.

Compramos há oito anos, em 1990; uma casa isolada de cinco quartos. É tudo-um-pouco-Tudor-tijolos-vermelhos-com-toques-de-Rainha-Anne, embora não haja, graças a Deus, nenhum pórtico e dentro eu a tenha pintado em cor-de-aveia, creme, areia, ardósia. É uma casa diurna mesmo tão tarde da noite porque deixo as luzes todas acesas, com os *dimmers* ligados no mais forte e vou de cômodo em cômodo. Eles se comunicam um com o outro tão lindamente. E estou sozinha. As meninas são apenas um resíduo; um filme saindo da boca da máquina, um brilho labial com *glitter* ao lado do telefone. Tom, meu homem de alta carência afetiva, está lá embaixo, sonhando seus carentes sonhos de mágoa e redenção em um mundo de finanças corporativas que nada tem a ver comigo.

Aveia, creme, areia, ardósia.

Comecei com todo tipo de sanefas quando nos mudamos, até festões. Queria a maior estampa floral que se pudesse encontrar para a janela da frente, dá para imaginar? Quando finalmente encontrei o tecido, já havia mudado para persianas simples e agora que o jardim cresceu de uma vez, não quero... nada. Passo o tempo todo olhando as coisas e querendo me livrar delas, jogar fora objetos.

É assim que vivo minha vida.

Fico acordada a noite inteira. Às onze e meia, se Tom está em casa, ele põe a cabeça pela porta do pequeno estúdio e diz: — Não fique acordada a noite inteira! — como se não soubesse que eu não vou dormir com ele, não por um bom tempo ainda, ou talvez nunca mais: que foi como tudo isso começou, de certa forma, com minha recusa de deitar ao lado de meu marido um mês, ou quase, depois de Liam ter morrido, com minha incapacidade de dormir em qualquer outra cama que não a cama em que dormíamos juntos. Porque não quero que as meninas me encontrem no quarto de hóspedes.

O que mais posso fazer? Não temos dinheiro para um divórcio. Além disso, não quero deixar Tom. Não posso dormir com ele, só isso. Então, meu marido está esperando que eu vá dormir com ele e estou esperando outra coisa. Estou esperando as coisas se esclarecerem.

Dessa forma, não fazemos nada. Dividimos nosso tempo. Pelo menos, eu divido. Pego o que Tom me deixou do dia (o que é bastante) e vivo durante seu sono. Às sete da manhã, quando o despertador toca, vou para a cama, ele se vira para mim e reclama que estou com a bunda fria. Diz:

— Ficou acordada a noite inteira outra vez?

— Desculpe.

Como se fosse esse o problema. Como se fôssemos fazer sexo, não fosse pela frieza de minha bunda e a eterna, infernal esquisitice de nossos *horários*.

Ele acorda as meninas, eles saem e então durmo até as três da tarde, quando arrasto minha cara até os portões da escola. Depois disso, eu as arrasto até o balé, ou à dança irlandesa, ou à equitação, ou simplesmente para casa, onde elas podem assistir à televisão antes do jantar. Eu controlo a televisão, digo que é para o bem delas, mas na realidade é por mim mesma. Gosto de conversar com elas. Se não conversar com elas acho que vou morrer de alguma coisa — que se pode chamar de irrelevância —, acho que vou simplesmente apagar.

Então ponho uma filha no sofá e a algemo um pouquinho ao meu amor: Rebecca que é tão amalucada e doce, ou Emily, a gata, a filhinha do papai; um pouco inútil, um pouco fria, seus olhos azuis-Hegarty o lugar onde meu coração mais naufraga. A gente se agrada e faz bagunça, conversa, depois há gritos por causa da lição de casa, ou de não comerem a comida, ou do horário de dormir, e às nove e meia, quando os gritos e a bagunça se encerram e elas vão dormir, eu começo a ronda.

Elas não me querem de verdade, eu acho. Só estão me agüentando um pouco.

Da saleta para a sala de estar e para a sala de jantar e para a cozinha, um fluxo contínuo de espaço em torno da escada; o andar de baixo é um plano aberto com um pequeno estúdio escondido do lado oposto à porta do hall. Se Tom volta para casa eu entro lá. Algumas noites, fico on-line. Mas a maior parte do tempo, escrevo sobre Ada e Nugent no Belvedere, sem parar, sem parar nunca.

Às onze e meia, Tom põe a cabeça na porta e diz:

— Não fique acordada a noite inteira! — e quando os passos dele silenciam, o mundo é meu.

E que mundo maluco este!

Há longos períodos em que não sei o que estou fazendo, ou o que fiz; em geral, nada, mas às vezes seria bom saber que tipo de nada era. Posso ter um ataque de limpeza por volta das quatro. Faço as coisas como um ladrão, prendo a respiração enquanto esfrego, roubando a sujeira das paredes. Tento não beber antes de cinco e meia, mas sempre bebo: do alto do vinho na garrafa até a última gotinha. É o único jeito que conheço para fazer o dia chegar ao fim.

Tarde da noite, escuto vozes em ondas, em retalhos: como num rádio que é ligado e desligado em outra sala. Incoerente, mas bem alegre. Histórias ricocheteando nas paredes. Retalhos de vida vazando. Sussurros no girar de uma maçaneta de porta. Pássaros no teto. O bip ocasional de um brinquedo de criança. E uma vez, a voz de meu irmão dizendo: "Agora. Agora."

Fiquei escutando à espera de mais, porém ele sumiu.

Quando abro a geladeira, minha cabeça está sujeita a trancos e lapsos; o passo que se perde quando se adormece. Presságios. Sinto o futuro caindo através do teto em minha cabeça e quando olho não há nada. Uma corda. Alguma coisa pendente em um saco, que não consigo tocar.

Tenho todos os meus arrependimentos entre servir o vinho e pegar o copo.

Às vezes, subo para olhar minha cama, que está sem mim. Tom dorme de costas. Não ronca. Às vezes, quando está triste no sono, ele se vira de lado e segura o queixo com a mão. Meu marido, que se agita no sonho.

Tom faz transferências de dinheiro, por meios eletrônicos. Cada vez que ele faz isso, um pouquinho fica grudado nele. Dia a dia. Hora a hora. Minuto a minuto. Uma boa quantia, a longo prazo.

Liam, meu irmão, passou a maior parte de sua vida profissional como atendente de hospital no Hampstead Royal Free. Ele empurrava camas pelos corredores, embalava tumores cancerosos em sacos, levava membros amputados para o incinerador e gostava disso, dizia. Gostava da companhia.

Eu era jornalista. Escrevia sobre compras (bom, alguém tem de fazer isso). Agora cuido das crianças... como se chama isso?

Tom fez sexo comigo na noite do velório, como se a morte de Liam tivesse espanado todas as teias de aranha: a confusão, as crianças, o emprego importante e absorvente e as noites passadas com esforço sem dormir com outras mulheres. Ele estava retornando ao básico: me disse que me amava, me disse que meu irmão podia estar morto, mas que ele estava muito vivo. Exercitando seu direito. Eu amo meu marido, mas lá estava com uma perna de cada lado de seu dançante quadril de garoto do campo e não me senti viva. Me senti como uma galinha quando é destrinchada.

7

Mas vamos deixar isso à espera. Deixar a pobre galinha esperar um pouco.

Cá estou na linha Brighton, a caminho de recolher o corpo de meu irmão, ou olhar para ele, ou dizer alô para ele, ou adeus, ou seja lá o que for que se faz com um corpo que se amou um dia. *Prestar seus respeitos.* É um dia brando de outono. Olho pela janela e me surpreendo de existirem os Down. Para mim, a Inglaterra sempre teve alguma coisa de infantil.

Haywards Heath

Wivelsfield

Burgess Hill

Hassocks

Nomes tão tolos e engraçadinhos que devem ter sido inventados. A surpresa constante dessa terra, que é realmente verde e realmente agradável. Que realmente está lá. Ela passa por mim, em velocidades diversas. A meia distância uma faixa de campo se desloca serenamente, enquanto as encostas distantes correm ligeiramente para trás, como uma linha estreita. Tento encontrar a linha ao longo da qual a paisagem se mantém estável e mudo de idéia, penso que viajar é o contrário do que estou fazendo, porque deslocar-se na direção de um homem morto não é se deslocar.

Então, minha irmã Bea telefona.

— Alô?

— Você está em *roaming*?

— Não sei.

— Bom, se está na Inglaterra, você está em *roaming*.

— Tudo bem, estou em *roaming*.

— Bom, então não vou aumentar sua conta — diz ela. E começa a falar.

Algum arcaico impulso de minha mãe faz com que ela queira que o caixão seja levado para casa, para Liam ser velado em nossa horrenda sala da frente. Até que, pensando bem, não consigo imaginar carpete melhor para um corpo, como digo para Bea; todos aqueles retângulos laranja e marrom.

— É um *carpete* — diz Bea.

E eu digo:

— Ah, vá.

— Simplesmente faça isso — diz ela.

— Faça? — repito, querendo dizer: *eu que estou pagando essa porra*.

— É assim que papai gostaria que fosse — ela diz, querendo dizer, *eu que mantenho acesa a chama*, e fico tão furiosa com ela que não consigo escutar o que digo, ou o que ela diz por mais um breve tempo enquanto a paisagem, com todas as suas diferentes velocidades e direções, passa pela janela e nós duas batalhamos para voltar a terreno seguro.

Ela tem razão, claro. Papai cresceu no Oeste, sempre sabia a coisa certa a fazer. Ele tinha *lindos modos*. O que, se você perguntar para mim, era sobretudo uma questão de não dizer nada para ninguém nunca. "Olá, como vai", "Até logo então, cuide-se", toda a questão humana tinha de ser ritualizada. "Desculpe o incômodo", "Agora guarde esse dinheiro", "É um pedaço de presunto adorável", "É o seu nobre dever". Uma chatice de se chorar, na verdade: aquele controle todo. A dignidade do homem determinada de certa forma por sua enlouquecida taxa de reprodução. Papai morreu de um ataque cardíaco em 1986, e quem foi ao funeral deu risada na entrada da igreja, como se ele tivesse se acabado de tanto trepar. — Ele teria ficado tão orgulhoso de ver vocês todos — disse uma vizinha. — Tão orgulhoso. Sentados um ao lado do outro, como uma escadinha. — Eu não disse nada, mas não achava aquilo, não. Não exatamente. Não acho que ele fosse ficar *particularmente* orgulhoso.

Ele realmente falava um belo irlandês. A língua era um território romântico para ele, e é o território onde eu o amo, mesmo agora.

Ele não era o pior. Papai era professor numa faculdade de pedagogia local, de forma que, contando as férias longas e o horário breve, ele estava sempre por perto: organizando, mandando, dirigindo o tráfego; trazendo para casa caixas de vegetais de inverno do mercado logo de manhã como se cuidasse de um acampamento de verão, e não de uma família. Embora tudo isso deva ter se acabado em algum momento também: na época em que eu estava na escola secundária vivíamos mandando os gêmeos ao armazém da esquina para comprar bacon; Ernest ou Mossie tilintando as moedinhas no bolso para ver se havia o suficiente para uns ovos. Nenhum dos Hegarty era mesquinho. Nem mesmo eu, a mais tranqüila dos Hegarty, sou miserável. É mais que uma coisa social, é como um tabu religioso; uma pessoa mesquinha ainda me deixa arrepiada, tenho de virar a cara e olhar para o outro lado.

Então como é que é comigo?

Estou pagando essa porra.

Uma perturbação da ordem natural, isso é que eu sou.

Enquanto isso, o trem resmunga pela Inglaterra, clique-te-cláquete, e Bea continua falando, sentada no colo de meu pai morto com uma fita no cabelo, como a boa menina que sempre foi, e eu olho as montanhas e deixo minha irmã entrar na adolescência (sem falar da menopausa). E nenhuma dessas coisas é possível. Nenhuma delas. Existe uma linha na paisagem que se recusa a se mover, ela desliza para trás e é aí que fixo meu olho.

— Boa sorte em Brighton — Bea diz, e sou jogada pela voz dela para dentro dos arbustos que passam como um chicote.

— Obrigada — respondo. — Cuide da mamãe. — E fecho meu telefone, me pergunto se disse as palavras "corpo" ou "caixão" ou "finado" no polido silêncio inglês do vagão, pensando que eu preferia comer merda do que, o quê?, do que *ostras com bacon* com os meus vizinhos, em torno do corpo de meu irmão morto na velha sala da frente.

Aquela porra de carpete.

E não só os vizinhos, mas também os vestígios de Midge-Bea-Ernest-Stevie-Ita-Mossie-Liam-Veronica-Kitty-Alice-e-os-gêmeos-Ivor-e-Jem. Os mortos, os piedosos e os gerentes de escritório (também donas de casa, ex-jornalistas, atrizes fracassadas, anestesistas, paisagistas, alguma coisa em TI, e uma outra coisa em TI). Vamos olhar em torno e dizer: Um a menos. Um a menos. Enquanto as crianças correm, arrancando até o próprio reboco da casa com o som de seus gritos; Rebecca brincando com a prima Anuna, que na verdade é minha sobrinha-neta, e não me pergunte o grau de "afastado" desse parentesco.

Ah! ele estava desesperado, isso é o que vamos dizer. Ele era um tremendo desordeiro. Estava sempre fazendo pose. Simplesmente não conseguia juntar as pontas. Tinha um bom coração. Era o que era. Era ótima companhia, nós diremos. Ah!, mas a espirituosidade. Que língua ele tinha, sem dúvida alguma! Mas era muito sensível. Era uma questão de sensibilidade com Liam. Dava vontade de cuidar dele. Ele não era deste mundo. Não mesmo.

— É — diremos —, ele era um bagunceiro.

Não sei se é minha primeira lembrança, mas é certamente uma de minhas lembranças mais fortes de Liam ele mijando por uma cerca de arame num lago de água lisa do outro lado.

— Iupi!

O xixi espirrando no arame, depois não, enquanto eu passava de patins. Patins! Quando lembro disso agora, penso que Ada deve ter mimado a gente, sim.

8

Quando eu tinha oito anos e Liam quase nove, nos mandaram, junto com nossa irmãzinha, Kitty, ficar com Ada em Broadstone. Ficava a poucos quilômetros de onde morávamos, sei disso agora, claro, mas quando éramos crianças podia ser até em Tombuctu. Aquilo era um mundo em si mesmo; um pequeno enclave de chalés de artesão perto do centro de Dublin, que se encaixavam uns nos outros como peças de Lego.

Acho que devemos ter sido mandados para lá quando Kitty era ainda bebê. Há um hiato na reprodução de minha mãe por essa época e penso nesses anos como os anos dos filhos mortos, aqueles que a marcaram e a transformaram na criatura que depois conheci.

Não sei como chamavam esses episódios. Mulheres solteiras tinham "esgotamentos", mas naquela época mulheres casadas simplesmente tinham mais filhos, ou não tinham mais filhos. Mamãe continuou, porém, com Alice em 1967 (o que nós faríamos sem Alice!), e logo depois dela vieram Ivor e Jem. Acho que a injustiça de ter gêmeos pode ter provocado seu ataque de "nervos" final. Com toda certeza havia sempre tranqüilizantes ali no meio do ibuprofeno e do anticoagulante do seu pires de comprimidos, e ela sempre foi, desde que me lembro, sujeita a tremores, a inexplicáveis dificuldades e a choros súbitos.

Às vezes, me pergunto como era antes de nós irmos embora, ou se eu sabia o que havia se perdido cada vez que voltávamos: se alguma "mamãe" que dançava com a vassoura e beijava a barriga do bebê havia sido substituída por aquele pedaço de benigna carne humana, ocupando uma cadeira numa sala.

A casa de Ada era muito quieta. Era difícil esquecer o som da própria respiração (entrando, saindo irregular) até a gente se ver ligeiramente abafado pela própria hesitação. Era a quietude de uma casa que não tinha crianças e cujos quartos eram cheios de coisas. Havia coisas em armários e pequenas coisas em mesas, que não se podiam tocar. Havia gavetas cheias de coisas que não eram usadas há anos, ou eram usadas só uma vez por ano. Todas essas coisas eram separadas umas das outras, e especiais, de um jeito que as coisas nunca eram separadas em nossa casa.

A própria Ada existia de um jeito diferente que não parecia possível para minha mãe. Ela brigava com Charlie ou namorava com ele na cozinha. Meus pais nunca namoravam, não pareciam capazes disso.

— Agora aumente o volume da tevê, para papai poder ouvir as notícias.

Falavam um com o outro por intermédio dos filhos, como todos os outros casais que eu conhecia. E se não havia nenhuma doçura, não havia também nenhuma briga: embora às vezes um tom mais áspero entrasse na conversa que podia ser sinal de uma frieza ou zanga particulares. Não sei.

Talvez eu esteja errada. Talvez eles conversassem um com o outro o tempo todo, mas havia alguma coisa tão íntima na fala deles que eu não conseguia escutar, ou reter: do jeito que é difícil lembrar da risada específica de alguém que a gente amou.

Mas Ada flertando com Charlie, disso eu me lembro: Ada indo do fogão para a mesa e cantando ao servir o jantar de Charlie. E me lembro das coisas dela: a cômoda de gavetas do patamar do andar de cima que era cheia de retalhos e trapos de tecidos; de coleções de amostras de tecido encadernadas, com páginas que se podiam virar como as páginas macias de um livro que não tinha história, só uma padronagem depois da outra. Havia um vaso lapidado cheio de penas no aparador da lareira do quarto de Ada; me lembro do estralejar de seus chapéus de palha e do cheiro dos chapéus de feltro que ela guardava no fundo do guarda-roupas. Tudo isso provavelmente de minha fase de menininha puritana, aos oito ou nove anos, quando eu adorava dobrar e alisar coisas secretas. A não ser pelo cheiro do lado interno dos chapéus, de que me lembro da época em que tinha três anos.

Só de vez em quando estávamos na casa, o tempo quase todo corríamos nas ruas ou brincávamos em volta do Basin, um lago artificial cuja água havia sido usada um dia para fabricar uísque irlandês. Foi esse fato que obrigou Liam a mijar dentro dele, e essa é a imagem que tenho dele na minha cabeça, de um menininho balançando o traseiro para mirar o arco de seu xixi no ar, a urina espirrando contra o arame e caindo, de repente sem obstáculo, por uma abertura em losango da tela.

Havia também a fortaleza da estação de ônibus em Broadstone a ser conquistada, uma muralha escura, como um abismo recortado numa montanha, com uma estátua da Virgem Maria colocada no alto. Ficávamos perto dos portões e, finalmente, um dia, nos esgueiramos para o lugar onde os ônibus de dois andares ficavam estacionados em fileiras, na ponta dos pés, nos arrastando pelo lado comprido deles, até que (deve ter sido Liam, dificilmente eu) um de nós pegou a manivela em cima da porta, que era como um mostrador em semicírculo ao lado da porta.

Huissh.

Dava para sentir o cheiro delas no couro sintético azul dos bancos, das pessoas que sentaram ali e levantaram de novo, a fim de que outras pessoas pudessem sentar ali e levantar de novo, minuto a minuto, dia após dia, com suas compras e vidas comuns. E embora a gente não rasgasse os bancos nem rabiscasse grafites nos tetos, o ônibus era tão parado e vazio enquanto corríamos por dentro dele que nos fazia entender, todos três, como éramos coisas de fora, mandados para a casa de nossa avó, que não significava nada para nós, de repente, e sentindo falta de nossos pais, que significavam cada vez menos. Por um momento, quando Liam abriu com um estalo a porta do motorista, eu tive a sensação inebriante de que ele era capaz realmente de dirigir aquela coisa, de dirigir pela Constitution Hill, subir a Phibsboro, até o lugar onde nossa família de direito estava crescendo sem nós, e ainda mais além.

E então fomos pegos. Eu estava no andar de cima e não escutei nada a não ser, pensando em retrospecto, Liam e Kitty batendo as sandálias ao fugirem correndo, Liam virou-se por fim para gritar para mim, som esse que eu ouvi, meu próprio nome vindo, por alguma razão do lado de fora do ônibus, enquanto dentro havia o som de um homem na escada e a visão da mão dele no cano cromado enquanto ele subia, degrau por degrau, o corpo surgindo por fim acima do poço da escada como um balão que se expande. Assim que terminou de subir ele parou, olhou para mim. Usava um quepe de ponta e a camisa azul do uniforme padrão, os botões quase estourando em cima de sua barriga enorme, o tipo de barriga que precisa de um cinto para ser sustentada, como um seio precisa de um sutiã. Ele avançou aquela barriga pelo corredor na minha direção, enquanto eu recuava, até que caí sentada no último banco do ônibus. Ele então apertou a barriga contra mim e, mesmo duvidando que isso tudo seja estritamente verdadeiro, me lembro claramente da surpreendente dureza e força dela, enquanto ele empurrava aquilo na minha cara com o botão branco: eu me retorcendo debaixo até que, finalmente, passei pelas perninhas dele, roçando a capa de motorista de ônibus. E desci a escada.

— Fora! — ele gritou atrás de mim. — Fora!

Vários funcionários se viraram para olhar enquanto eu saía correndo pelo portão e sumia lá adiante.

Só havia um caminho a seguir e era correr pela Constitution Hill até perder o fôlego, e lá eu encontraria Kitty e Liam. Mas não encontrei os dois até chegar ao portão de uma igreja: Liam, mesmo na época, tinha alguma idéia de santuário, de que nem mesmo um condutor de ônibus uniformizado podia nos pegar ali.

Entramos para rezar, e realmente acredito que isso aconteceu no mesmo dia, nos ajoelhamos perto do altar com a idéia de perseguição às nossas costas e quando nossos corações se acalmaram, olhamos um para o outro, a necessidade de rir se transformando ao simplesmente contemplarmos uma outra coisa mais elevada e espiritual. Então foi com uma sensação de piedosa alegria que agradecemos nosso livramento no altar de São Félix, acendemos uma vela cada um e então, como não encontramos um cofre para colocar nossas moedas, acendemos duas ou três mais, até que um padre marcou o antebraço de Kitty com um anel de contusões, e nos passou, enquanto segurava o braço dela, um sermão sobre a maldade que era carregado de raiva. E não consigo me lembrar nem uma palavra do sermão, ou do que Ada disse depois sobre o estado do braço de Kitty, embora me lembre da qualidade grossa, vívida, da cara falante do padre, como um néctar de frutas não diluído. E embora o bom senso diga que esses dois eventos não devem ter acontecido no mesmo dia, eu digo que aconteceram, e quando um homem me seguiu por umas vielas de Veneza, muitos anos depois, com sua ereção na mão, eu me enfiei numa igreja como se chamasse alguma coisa pior, em vez do que não encontrei nada: bancos vazios, mofo nas paredes, um pedaço de papel pregado debaixo de uma turva pintura a óleo, com "*di Tintoretto*" escrito a esferográfica. Havia um lado escuro na capela com o próprio céu pintado no teto, pelo menos quando se colocava na fenda uma moeda de 100 liras para acender as luzes. Fora isso, era tudo pobre e calmo. Não havia nada pior à minha espera. Eu me ajoelhei de costas para o retângulo de ofuscante luz branca da porta aberta, mas o italiano da rua não entrou atrás de mim, nenhuma criança saiu do confessionário com as mãos em concha em torno de um frasco de esperma, nenhum santo se mexeu. Baixei a cabeça e rezei como uma mulher em algum filme dos anos 1950, rezei para que me abandonasse a sufocante sensação de que era assim que eu morreria, meu rosto envolto em uma capa imunda, azul-marinho ou preta, o pau de um estranho no fundo da garganta e o quê, o quê, o quê?

Alguma coisa me virou no estômago. Uma faca. Faca nenhuma.

Não é real.

Mas ca-blum. As luzes da capela lateral se acenderam com grande ruído, seguido do lento moer mecânico do dinheiro de alguém sendo engolido. Eu me ajoelhei e observei alemães e ingleses entrarem, decifrarem a caixa de liras, acenderem o céu, enquanto às minhas costas o italiano com sua ereção esperava na porta da igreja, ou não. (O que ele ia fazer com aquilo, afinal?) De qualquer forma, ele evitou atravessar o portal, e quando terminei minha desesperada embriaguez de prece ateísta, virei e descobri que ele havia ido embora. O que era bom. Só que agora, quando eu andava pela rua, ele estava em toda parte.

Éramos crianças boas, na maioria das vezes. Imagino que éramos crianças boas, naquela época de Broadstone; um tanto quietas, um tanto preocupadas, talvez; Liam principalmente, dado a súbitas mudanças e alterações de conduta, mas que eram muitas vezes tão hilárias quanto horrendas, e embora Kitty fosse um saco, era assim de um jeito infantil, e não havia maldade em nenhum de nós, que eu consiga pensar... por que haveria?

9

O homem ao meu lado no trem para Brighton levanta ligeiramente a pelve e acomoda-se de novo. Ele está cochilando no sol
que pisca, sexual, embalado e inquieto pelo movimento do trem.
Consigo sentir o sangue empoçando em seu colo; o grosso volume de seu pênis descendo pela perna do terno.

Lá vem mais uma.

E, de novo, não há nada com que se preocupar: um jovem empresário que tem uma ereção a seu lado no trem, mesmo
que você esteja de luto recente. Devido ao estado em que me
encontro, mais do que normalmente acho peculiar a hidráulica
daquilo. Coisas tão pequenas para ter conseqüências tão grandes. Eu me pergunto, brevemente, se Liam ainda estaria vivo se
tivesse nascido mulher e não homem. E, de repente, ali está ele,
espiando de trás do carrinho de chá, com um lenço de cabeça
Dick Emery e um sutiã industrial.

— Iu-hu! Estou vivo!

E — Não, obrigada — eu respondo à mulher perfeitamen-
mente respeitável que oferece — Bebidas? — enquanto o homem
a meu lado pega um jornal para esconder o colo.

Inofensivo. Inofensivo. Inofensivo.

E fecho os olhos.

Liam entrou no meu quarto de hospital no dia seguinte
àquele em que Rebecca nasceu. Ele simplesmente apareceu, com
um buquê de flores cor-de-rosa da loja do térreo. Tom fora para
casa dormir um pouco e os telefonemas tinham sido feitos, as
pessoas estavam dando um tempo para eu me recuperar, mas
eu estava toda acesa, exibindo meu bebê para as enfermeiras, as
faxineiras, me perguntando se seria uma partida de futebol ou
um ataque terrorista que havia retido todos os admiradores dela
em algum congestionamento de trânsito.

E lá estava Liam na porta. Eu nem sabia que ele estava em casa. E lá estava eu, recostada nos travesseiros numa poça de suor extra com um bebê, intocavelmente perfeito, num berço plástico ao meu lado.

Ele atravessou o quarto para dar uma olhada e lá estava a solidez dele ao se curvar sobre a nova geração, conferindo, com um jeitão de proprietário, os olhos, dedos, dedos dos pés, os poros minúsculos em cima do nariz entupidos de matéria amarela que já davam pânico dos cravos que ela teria quando maior.

— Como você está? — ele pode ter dito.

Não acho que a gente tenha se beijado. Os Hegarty só começaram a se beijar no fim dos anos 1980, e mesmo assim nos limitávamos ao Natal.

— Estou bem — devo ter respondido.

E se sentou na cadeira das visitas e olhou aquela cena nova: mãe e filha.

— Foi tudo bem? — me lembro que ele perguntou isso e me lembro que respondi: — Bom, *agora* está tudo bem.

As paredes eram pintadas de amarelo e havia alguma coisa grossa e estática na luz solar, agora que o bebê tinha nascido.

Me lembro de pensar como ele estava bonito; como devia ser bonito andando por uma rua de desconhecidos, meu irmão ligeiramente gordo. Ficou feliz de ver o bebê. Ao olhar para ela, ele se reduziu a alguém que eu conhecia nos meus ossos.

O nascimento havia me devolvido meu sentido do olfato, que havia se deturpado estranhamente enquanto eu estava grávida, e então eu estava numa onda aromática, com o nariz enfiado dentro de uma taça de champanhe que me recusei a beber, mas que fiquei cheirando a tarde inteira. Conseguia dizer, de hora em hora, como a bebida estava se estragando em contato com o ar. Era ali que eu existia: no cheiro que subia do alto da poça de champanhe, ao lado da qual até mesmo as roupas de Liam cheiravam forte demais.

Contei para ele que nossa mãe tinha telefonado e que ela havia chorado.

— Chorou? — ele perguntou.

— Ela achava que éramos todos estéreis — eu disse, embora tenha sentido minha traição num rubor. Tinha gostado de falar com ela naquela hora.

Falamos dela um pouco.

Ele estava olhando a taça no armário ao lado da cama e falei que era só uma garrafinha daquele tipo de avião. Mas ele acabou com ela para mim antes de ir embora, morna, sem gás e contaminada de fosse qual fosse a matéria penetrante que saía dos meus poros enquanto eu lentamente desinchava no quarto. Eu não me importei, disse para ele que ficava contente daquele cheiro ir embora.

Sentada no trem para Brighton, tento elaborar um horário para as bebidas de meu irmão. Beber não era o problema dele, mas acabou, sim, sendo um problema, o que foi um alívio para todos os envolvidos. — Estou um pouco preocupado com sua bebedeira — de forma que, depois de algum tempo, ninguém conseguia ouvir mais nada do que ele dizia.

E com toda razão, era tudo uma merda completa. O álcool acabava com ele, como é de se esperar. Mas tento organizar aquilo no tempo: quando parei de me preocupar com ele e comecei a me preocupar com a bebida dele em vez disso. Talvez naquele momento, quando meu bebê abriu os olhos, repetidamente, como se conferisse se o mundo ainda estava ali. Foi provavelmente naquele momento. Bem ali.

Um bêbado não existe. Tudo o que ele fala, é só a bebida falando. Ou ele existe em flashes. Sentado contra uma parede amarela olhando sua irmã favorita que acabou de desembainhar uma criança. Um brilho em seu olho como nos velhos tempos. O resto não merece confiança.

Dava para sentir o cheiro do calmante que ele havia tomado antes de chegar na porta do hospital, dava para sentir o cheiro do vinho do almoço e da cerveja da noite anterior. Mas havia também alguma alteração metabólica, algo doce em seu sangue e um hálito que não reconheci. Ele não comia muito, naqueles últimos anos, o corpo já num ciclo de álcool. E sentada no trem para Brighton eu me pergunto se ele teria diabetes, se era esse o problema. De repente, penso que se ele ao menos tivesse feito os exames de sangue, poderia ter tomado alguma providência, porque talvez a bebida não fosse o problema dele afinal.

Então me dou conta de que ele está morto.

E, claro, que beber era uma declaração existencial, como pude esquecer? Com certeza não havia nada *metabólico* naquilo. Não havia causa.

Será que estava bêbado quando morreu? Provavelmente. E agora, que maré corre em suas veias? Sangue, água do mar, uísque. Ele era maníaco por uísque. Provavelmente achou que ia nadar até a porra da França.

Fecho os olhos contra o calor do sol e cochilo ao lado do estranho adormecido no trem para Brighton.

10

Eis Ada e Charlie na cama um ano depois. Charlie é liso como uma foca com sua barriga comprida, saliente; os genitais vermelhos contra a coxa branca, grossa. É sábado de manhã e cada brisa perdida, cada movimento de Ada debaixo do edredom conseguem empiná-lo, até alcançar um ângulo, digamos, de cinqüenta graus, que a ele parece ao mesmo tempo firme e terno. Ele brinca com aquilo um pouco: quarenta pode ser considerado esquisito, qualquer coisa abaixo disso meramente frouxa e tímida, e é afinal algo que ele tem de compartilhar, essa questão de grau. Ele mergulha de volta para baixo das cobertas, para as canelas finas de Ada, ela ri e levanta os joelhos. Fizeram isso tantas vezes nas últimas horas que é difícil distinguir dentro e fora. Também a diferença entre as cobertas e o ar do quarto, entre suas roupas e suas mãos: tudo parece acariciá-los. Os dois são um feixe de nervos, desfiados nas pontas. Um está esgotando o outro: ambos perplexos com a finura da pele nesse instante; a proximidade de que são capazes, sangue com sangue, de forma que a vibração, depois, de um dentro do outro, podia ser uma brincadeira, ou uma pulsação: o bater em suas veias do coração do outro.

Claro que Charlie, aos trinta e três anos, tem a sensatez de não acabar dentro de Ada todas as vezes que consegue evitar (embora, às vezes, é verdade, não consiga absolutamente evitar) e então ele se iça para fora no final para tombar como um homem afogado, derramando água do mar no cais. E Ada está inflamada não só por causa do amor, mas também pelo vinagre que usa em sua bolsa francesa especial; um presente de Charlie, tão ousado e malicioso, quando ficaram noivos. Eles eram amantes. Mesmo sendo casados, eles eram amantes. Não falam de filhos: nada acontece no escuro. A corte deles foi uma coisa violenta; o noivado, parece, apenas uma desculpa para protelar a doçura, de forma que quando se viram entre os lençóis da legitimidade os dois estavam esgotados com aquilo tudo e viram sua noite de núpcias com um naufrágio final. Ada se despiu ao lado da cama como uma mulher que vai entrar no banho, Charlie de olhos apertados junto ao abajur a dar corda no relógio. Depois disso, com um repentino, horrível coito, os olhos de Ada travados, muito abertos, descobriram que tinham tudo a aprender, afinal.

— Não se preocupe. — Parece que Charlie não disse outra coisa desde o dia em que se conheceram. — Não se preocupe, não vai acontecer nada de ruim com você.

Ada não sabia por que confiava nele, mas confiava. Ada tinha razão. E isso em si era uma espécie de triunfo para ela; a magra, prática Ada, com seu olho atento. Ela confiou nele de imediato e nunca deixou de confiar, nem mesmo quando, uma época, ele trouxe a lei à sua porta. Agora, nesse sábado de manhã, ela pega a mão dele e coloca em cima de seu púbis superusado, para que o peso e o calor da mão a façam, de alguma forma, assentar. Tudo dói um pouco. Eles ainda não são muito bons naquilo. Têm uma grande intuição do que virá a ser.

A cama é de mogno, com duas grinaldas de pequenas flores se juntando em arco na cabeceira. É um pouco mole, o que obriga os amantes, a certo extremo doloroso, a ir para o chão. Mas é um luxo deitar nela e Ada está onde queria: sua própria cama, seus próprios frascos e loções na cômoda de gavetas, e todas as suas coisas, livros e café-da-manhã, à sua volta. Ela é casada. Ela pode viver naquela cama. Pode comer na cama, e ler na cama, e se acostumar com isso.

E se a cama é um palácio para ela, Charlie é o seu magnífico hóspede gordo. Contra o rosa do edredom, o cabelo cor de areia dele todo brilha. Desce e se enrosca nas depressões de seu corpo. Pára numa linha definida em torno de cada tornozelo para saltar, como um fogo que escapa, aos pequenos tufos em cada dedo do pé. Pêlos dourados descem por sua barriga. Pendem como pequenos cavanhaques abaixo de cada mamilo e fervilham debaixo de seus braços. Ada nunca se cansa dos pêlos, do jeito como se espalham em correntes, como se ele tivesse acabado de sair de um banho, e a piada no alto, onde a cabeça foi totalmente lavada. Porque Charlie é muito careca.

É o tipo de homem que dá a sensação de que devia usar um chapéu-coco, mas Charlie é vaidoso com a cabeça (costumava me fazer sentar em seu colo, quando criança, para alisar sua cabeça) e muitas vezes sai sem chapéu, para dar à careca o benefício de uma brisa. Mas gosta bastante de um cachecol, e tem a tendência de rosnar e limpar a garganta, também de bater no peito, arrumar o cachecol e ajeitar e reajeitar as lapelas do casaco de pêlo de camelo. Charlie raramente está sem casaco. Ele preenche uma sala de uma forma que é sempre perturbadora porque, embora dê a impressão de ser pequeno (a careca ou talvez as coxas curtas), ele é, na verdade, bem grande, e sua recusa em assentar pode vir de um temor de que não vá se encaixar. Charlie está sempre só passando. Nunca toma uma xícara de chá. Parecia ter alguma informação a passar; no entanto, quando vai embora, muitas vezes é difícil saber que informação era aquela. Sua voz é grave, urgente e muito agradável. Ele faz as pessoas se sentirem cálidas e incertas, como se pudessem ter sido roubadas... mas de quê? Elas olham as mãos, para conferir se nada lhes foi tirado, não há nada ali para tirar. Então, ele não é querido por isso, não exatamente. O charme de Charlie é completamente sem objetivo. E ninguém sabe de onde ele é.

Spillane é um sobrenome de Kerry, mas o sotaque dele é inglês, com um toque de Clare, e todo ele dublinificado. Com suas vogais truncadas, não havia dúvidas de que Charlie fazia questão de se misturar: a menos que quisesse se destacar, de alguma forma. Mesmo assim, ninguém acreditava numa palavra do que ele dizia. Eu me lembro de ter desacreditado dele aos oito anos de idade.

Houve alguma coisa a respeito de um cavalo (sempre havia um cavalo). Houve a história de lorde Leinster, as infindáveis histórias do Shelbourne Hotel e a história do Rising de 1916 que era às vezes mencionada, mas nunca realmente contada. "Aah, sei, sr. Spillane", diz o homem da loja e pisca para mim por cima do balcão, "isso foi nos Dias de Glória".

O que Charlie comprou para mim? Balas efervescentes. Claro.

Me lembro dele melhor na minha pele. O prazer do arrepio quando ele se abaixava para cochichar; o roçar de seu bigode e a aspereza de seu tweed. Ele provocava a gente com a idéia de que tinha alguma coisa escondida na mão ou no bolso: e nunca tinha. Charlie brincava de Encontre a Dama sem nenhuma dama: ele simplesmente amava o floreio e, depois do floreio, adorava ir embora.

Pobre Charlie. Ele foi o primeiro morto que vi na vida; maciço e imóvel debaixo do edredom rosa de Ada. Razão pela qual é uma espécie de blasfêmia escrever sobre a noite de núpcias deles na mesma cama, se bem que blasfemar parece ser a minha função aqui.

Eu adoraria lembrar como ele morreu: se com um ruído durante a noite ou um prolongado silêncio no meio da tarde. Deve ter acontecido enquanto nós estávamos lá. Pode até ter sido a razão de nós voltarmos para casa. Mas esses detalhes e datas são terríveis demais para uma criança assimilar, parece, porque minha cabeça tem um vazio no lugar, um vazio completo. Tudo de que me lembro é o que vem depois, de tentar não rir quando fomos levados para o quarto lá em cima.

Deve ter sido em fevereiro de 1968. Eu ainda tinha oito anos, Liam nove, e estávamos indo "dizer adeus" para Charlie. Acho que eu sabia, mesmo aos oito anos, que a gente pode dizer adeus o quanto quiser, mas quando alguém está morto não vai responder nada, então Liam teve de me puxar diante das vizinhas que rezavam o rosário na escada. Minha memória as põe todas de xales; as costas de Ada subindo na nossa frente, vestida de tafetá preto. Mas era 1968: devia haver lenços de cabeça estampados e casacos com botões grandes com cheiro de chuva. Ada devia estar usando o tergal azul-marinho com rendinha branca, que saía do armário em toda ocasião, com um casaco curto azul-marinho e um daqueles chapéus que pareciam uma bilha de feltro, furada de um lado.

Os pés das vizinhas se projetavam a uma distância surpreendente do degrau onde cada uma estava ajoelhada: os sapatos balançando no ar. E havia algo inseguro e errado nessa outra escada, feita de ossos de canela com meias elásticas, que contrariava a finalidade da escada que tentávamos subir.

Uma mulher muito ruidosa estava rezando no patamar. Ela me viu rindo com Liam e revirou os olhos, triste, como se algumas coisas não tivessem solução. Me lembro disso, muito bem; a sensação em câmera lenta de estar completamente errada e não ser capaz de mudar. Então me dei conta de que eu não queria entrar no quarto de meus avós. De jeito nenhum.

Mais algumas mulheres ajoelhadas ocupavam o segundo lance e então, pela porta aberta, vi a ponta da cama e o volume imóvel, irregular dos pés de Charlie. Me lembro das retas das pernas dele reveladas através da moldura da porta, dos horríveis picozinhos dos joelhos, depois a piedosa ascensão do edredom pela saliência de sua fantástica barriga. As mãos estavam no peito, dedos cruzados, complacentes, amarradas com as contas do rosário.

As contas pareciam muito apertadas, pareciam afundar na carne. Essas pequenas formalidades ferozes do fim; uma espécie de vingança dele, por ter morrido.

Ada olhou para trás, para conferir, e depois afastou-se para nos deixar ver melhor. Era uma coisa que eu não queria ver.

Charlie realmente gostava de ir embora.

— Adeus! Adeus! — Eu nunca sabia para onde ele estava indo. Ele deixava um bafio de explicações que não explicavam absolutamente nada. Então Ada provou que tinha razão, afinal: ele era um homem que incomodava muito. Dava para dizer pela maneira como ela se virava para ele como se fosse espanar a caspa de sua lapela. E na verdade havia alguma coisa ali: uma mosca subindo por seu pescoço. Achei que ela havia saído de debaixo do colarinho e daquele dia em diante, na verdade, fiquei muito incomodada com a idéia de vermes. Aquilo, pelo menos, me fez parar com aquele riso horrível, como se Ada fosse bater em mim e não na mosca.

Ela olhou a mosca subir e afastar-se, bater na cortina de enrolar, uma, duas vezes. Depois pousar na cama. Eu estava parada ao lado dela; dava para sentir a raiva crua, calada que havia nela ao ver a mosca circular e se afastar e depois voltar e pousar de novo no pescoço morto de Charlie. Ela pousou e correu pela pele, sem se importar com as rugas profundas da carne mole, nem com uns poucos fios de cabelo. Ada se mexeu, ou ia se mexer, e a mosca levantou vôo, repetiu a escapada para a cortina de enrolar, dessa vez passeando pela borda brilhante até bater no vidro, onde ficou zunindo e batendo. Ficamos ouvindo um momento; o som do rosário lá fora e o som da mosca batendo no vidro. Ada estava mortificada. Olhou para o corpo. Não conseguia se mexer. Então, de repente, ela pareceu se dar conta de que aquele era seu quarto, com seu próprio marido, morto ou não, e simplesmente passou por cima da cama. Quando chegou à janela, levantou uma das mãos e apertou a cortina. O zumbido cessou. Ada, a dona de casa, com uma mancha terrível na cortina. Nós, crianças, agora expostas à careca de Charlie, nua na morte.

Pode-se pensar que existe algo leve na morte: nossas vidas nos parecem às vezes tão pesadas, mas a depressão que a cabeça de Charlie fazia no travesseiro era viva e profunda.

Me lembro dele deitado no Phoenix Park, a cabeça como uma pedra na grama. E me lembro de minha mão dentro da sua boca, minha mão inteira, enquanto ele resmungava em volta dela e ria. Eu devia ser muito nova, minha mão inteira sumida dentro do rosto imenso dele e, no que parecia algum outro lugar, o caos ondulante de sua língua molhada, os suaves planos e pontas de seus dentes molares.

O crânio é o osso que fica mais perto do ar. Foi isso que eu entendi quando olhei a pele na cúpula da cabeça de Charlie; transparente, sem sangue, o bronzeado ficava todo na superfície, no mais fino verniz. Ada estava de volta da janela, nos empurrou para olhar, ou testemunhar, ou talvez mesmo tocar, aquela coisa brevemente sagrada, nosso avô morto. E acho que é surpreendente. O momento de olhar. Quando se foram, mas ainda não se foram. Quando não se tem bem certeza do que se vê.

Então eu olhei: para aquele, ou para aquilo. E estava tudo bem, sem surpresa, a não ser pelo bigode. Charlie, vivo, tinha a mais fantástica moita de bigode branco, com aroma de limão e as pontas ligeiramente viradas. Meu avô era o único homem que eu conhecia que tinha um brinquedo na cara. O bigode dele se mexia, distraía, fascinava. Era um truque da boca. E agora estava imóvel, sem esconder absolutamente nada.

Não havia mais truque.

Foi isso que me fez chorar: esperar que o bigode de Charlie se mexesse e descobrir que não se mexia. Não havia truque, no fim das contas. Ada de volta ao nosso lado, sussurrava:

— Se despeçam agora — e Liam, que era quase um ano mais velho que eu, deu um passo à frente e parou, porque não sabia o que fazer.

— Shh — Ada fez para mim. — Pare de chorar.

Me pergunto: será que tiraram o sangue dele? Quer dizer, fico imaginando se ele foi embalsamado antes de ser enterrado, como era costume naquela época. O sangue estava empoçando nos ombros e nas nádegas dele, o sangue que havia caído para a parte de trás da cabeça, buscando a gravidade, já querendo vazar pelo colchão: o sangue que pisava ou endurecia dentro dele agora, à medida que sua fronte (dava para ver que era verdade) ficava infinitesimalmente mais clara, e nós ali parados, deixando que ele se fosse: aquele sangue, tão pesado, pegajoso e errado, eu me pergunto se ainda estava dentro dele, porque é igual, ou uma quarta parte igual, ao meu próprio sangue. Se eu me cortar, agora mesmo, posso ver o sangue correr solto.

É engraçado, mas nunca pensei em mim como aparentada de Charlie, mesmo ele sendo meu avô. Ele era um tipo de pessoa diferente. Dançava com Ada na cozinha. Não tinha um emprego ao qual se pudesse dar um nome. Nunca estava em casa.

Nenhum dos Hegarty puxou dele os olhos castanhos de cachorro, nem o nariz fino, levantado, embora seja verdade que todos os seus netos ficaram carecas, com o tempo. E isso era uma coisa que Liam não podia prever parado ali, esperando para fazer o que era preciso fazer, assim que entendeu qual era a coisa que se precisava fazer. Ele não previu que ia morrer mais careca que uma bola de bilhar, embora eu pense que nós dois sabíamos, quando ele se inclinou para tocar a mão do pobre Charlie, que Liam ia morrer.

Ele estava a caminho.

Se me perguntarem o aspecto de meu irmão depois de morto, posso responder que ele parecia o Cristo de Mantegna, visto pelos pés, com pijama estampado. E isso pode ser uma verdade geral sobre os mortos, ou pode ser apenas o que acontece quando alguém está deitado numa mesa mortuária alta, com os pés virados para a porta. Foi assim que eu soube que Liam estava morto, quando finalmente o vi em Brighton, o fato de que ele estava muito acima do chão, e que a coisa em que ele estava deitado era muito dura e plana, porque os mortos nunca estão desconfortáveis: mesmo quando tentamos deixá-los assim. Acho que não olhei para o alto da cabeça dele, nem pensei em sua calvície, nem pensei em nada. E fiquei contente de ter alguma prática naquela história toda, em olhar as coisas, porque embora eu amasse Charlie, era com o amor fácil, ansioso, de uma criança, que está sempre pronta a amar de novo.

Mas, morto ou vivo, ninguém passa tempo examinando o corpo do irmão, sua forma, ou suas partes, ou a textura da pele. Então não consigo lembrar de Liam com nenhum detalhe. Tudo o que sei é que ele parecia completamente diferente morto, enquanto Charlie parecia muito com ele mesmo. E ao me perguntar sobre aquele pijama estampado idiota de segunda mão, me dei conta de que foi por isso que nos fizeram subir aquela escada em Broadstone aos oito e nove anos de idade: porque Ada tinha visto que esse dia ia chegar. Ela sabia o tempo todo. Ela queria que nós estivéssemos preparados.

Ou talvez a dor dela fosse tão grande que tinha de arrastar todo mundo com ela, mesmo nós, crianças. Talvez quisesse que o mundo inteiro visse, e se horrorizasse.

Eu não fiquei horrorizada, só fiquei solitária. Não porque Charlie tinha ido embora: eu não gostava de Charlie, eu odiava Charlie, queria que ele estivesse cheio de vermes por baixo do terno. Mas porque eu não queria estar naquele quarto, e ninguém ligou para isso. Meus sentimentos não eram relevantes, não apenas naquela ocasião, mas na história toda de estar viva.

O rosário rolava na escada, enquanto Liam recuava e eu ficava ali pregada e me recusava a me mexer. A mão de Liam no meu braço, já lívida de decomposição; Ada atrás dos meus ombros, sussurrando para eu avançar.

Eu não fui.

Minha avó não tinha paciência. Ela avançou em meu lugar e pôs a mão dela no corpo; uma vez no pulso, brevemente, e depois, impulsivamente, ao que parecia, ao longo da linha do queixo dele. Passou a mão da orelha até o queixo, em concha em torno do osso.

Levei um tempo para perceber que ela estava paralisada. E mais um tempo até que alguém veio por trás e tirou sua mão do rosto frio, olhando por cima do ombro ao fazê-lo, dizendo:

— Agora basta.

Como se fosse tudo culpa nossa: aquele embaraço da carne morta e o amor ainda respirante que havia no corpo de Ada, um amor que não sabia para onde ir.

— Agora basta.

Sr. Nugent. Claro.

E agora que me lembro de Nugent lá, no fim, devo me lembrar dele no quarto o tempo todo, sentado ao lado do guarda-roupa, de forma que a mosca, quando voou do pescoço de Charlie, passou bem na frente dele, antes de virar para a luz da janela e da cortina. Ele estava inclinado para a frente quando nós entramos, com os cotovelos nos joelhos e as contas do rosário pendendo para o chão, e o mogno atrás dele era quase tão escuro quanto seu terno preto.

Nunca confiei em homens que rezam. As mulheres não têm escolha, claro, mas no que os homens pensam, quando estão de joelhos? Não acho que esteja na natureza deles, rezar: são muito orgulhosos.

Mas lá estava ele, suspirando as ave-marias quando entramos pela porta: eu, que devia estar encarregada, meu irmão, magro e desajeitado no macacão cinzento da escola, e Kitty atrás de nós. E agora, claro que tenho de acrescentar Kitty desde o começo, minha irmãzinha, subindo a escada atrás de nós, porque ela devia estar lá também. Kitty fazia a coisa como tinha feito a primeira comunhão: de cabeça baixa e com o rosto inclinado piedosamente. Ela colocou uma margarida no peito de Charlie, uma flor infantil na fronha? Não. Pelo que me lembro, Kitty deu um passo à frente, disse — Tchau, tchau — e virou para sair do quarto. Tinha seis anos. Ela adorava uma platéia. Eu devia saber, tinha de enrolar o cabelo dela nuns trapinhos toda noite, para manter os cachos firmes.

Nugent estava lá o tempo todo: para a valentia de Liam, a graciosa piedade de Kitty e para a imensa bolha de egoísmo que crescia e explodia no meu peito. A porra de rugido imenso e miserável daquilo me dizendo que eu estava viva.

Me lembro disso muito bem. Me lembro dos trapinhos de cabelo de Kitty, embora não consiga, por nada deste mundo, revirar a lembrança de minha irmã para olhar o rosto dela aos seis anos. Não consigo, por nada deste mundo, lembrar do rosto de Liam, embora eu nunca vá esquecer a mão dele aos nove anos tocando a mão morta de Charlie: a de Liam manchada de roxo enquanto a de Charlie era clara, porque o corpo dele já havia esquecido que era inverno naquela casa fria. Há fotografias. Um laivo do sorriso de meu irmão em meu espelho, um tom de voz que eu às vezes uso. Não acho que a gente lembre da nossa família em nenhum sentido real. Vivemos nela em vez disso.

As únicas coisas de que tenho certeza são as coisas que eu nunca vi, minhas pequenas blasfêmias: Ada e Charlie em sua cama de casal, o púbis dela como o peito de uma galinha subalimentada debaixo da mão grande dele, ou o triste peso de seu negócio quando ela procura debaixo da barriga comprida para puxá-lo mais para perto. O sol nas cortinas floridas.

Felicidade.

11

Estava abrindo a porta do carro para as meninas um dia antes da morte de Liam e, quando a porta passou, vi meu reflexo no vidro. Desapareceu em seguida e olhei para dentro da caverna escura do carro enquanto as meninas saíam, ou voltei para dentro para pegar algum pedaço de lixo cor-de-rosa do chão. Então o reflexo passou de novo, rápido, quando fechei a porta. O sol estava brilhando em meio a nuvens de alto contraste, o céu no vidro da janela de um maravilhoso e sólido azul, e meu rosto escuro ao passar era o risco de um sorriso. Me lembro de ter pensado: "Então, sou feliz. É bom saber disso."

Sou feliz.

Rebecca tem oito anos agora, parece comigo. Emily tem seis, o cabelo preto e os olhos azul-gelo que se tem no litoral atlântico, olhos de Hegarty, só que mais intensos, e eu acho que, se arrumarmos os dentes de Emily e se Rebecca parar de ser boba e aprender a ser alta, ambas têm chance de ser realmente amadas um dia.

Minhas filhas nunca saíram na rua sozinhas. Nunca dormiram junto com ninguém. São de uma espécie diferente. Parecem crescer como plantas, feitas de caule e flor, não de carne.

E mesmo assim, os pais as cansam. Da última vez que saímos de férias, houve uma certa discussão sobre o caminho a tomar e no meio da briga olhei pelo retrovisor e vi Rebecca olhando fixo para a frente. Estava com a boca presa para dentro e vi, com terrível previsão, especificamente o que ia enfear no rosto dela, devagar ou depressa, a coisa que podia comprometer sua beleza antes de ela crescer.

Pensei: *Tenho de manter essa menina feliz.* Tenho de amar o pai dela e mantê-la feliz, ou essa coisa vai acontecer com ela, ela vai virar uma daquelas pessoas pelas quais se passa todo dia na rua.

— Como você conheceu papai? — pergunta Emily, minha rival. — Como conheceu ele?

— Conheci num baile.

— Com que roupa você estava? — pergunta a irmã, que está sempre do meu lado.

— Estava... — Foi há muito tempo, não consigo lembrar o que estava usando. Digo: — Estava com um vestido azul.

Isso provavelmente não é verdade, mas elas gostam. E é verdade que Tom estava usando um terno bem bacana quando sorri para ele, uma noite, na rua Suzey, e continuei sorrindo, de um jeito melancólico, até ele finalmente parar de falar e simplesmente se achegar.

— Como você sabia que era ele? — pergunta Emily.

— O quê?

— Como você sabia que era o papai?

— Eu sabia — respondo. — Sabia, só isso.

O que é verdade, mas não do jeito que elas podem imaginar. Não posso contar para elas que ele estava vivendo com outra mulher na época e que no momento que vi os dois juntos entendi duas coisas. A primeira era que ele não era para ela, e a segunda, que ele era para mim.

Eu podia fazê-lo feliz. Só isso. Eu sabia disso, de algum jeito, com toda certeza, podia fazer aquele homem feliz.

— Eu sabia que era seu pai porque ele era muito alto.

Isso basta. E é verdade. Gostei também da curva de seu lábio superior, e do jeito que o paletó aberto pendeu quando ele se curvou para falar comigo, a depressão do peito quando se inclinou, a mistura de arrogância e dedicação.

Homens altos são tão desajeitados. Eles se dobram, como se você soltasse alguma dobradiça secreta.

Mas não é coisa que se diga para suas filhas dez anos depois: que os pais delas só fizeram sexo por acidente e que só semanas depois conseguiram tirar a roupa toda pela primeira vez. Que o pai delas ficou tão enlouquecido de culpa que realmente me assustava: até o momento em que não me assustei mais. Em que fomos arrebatados. Que depois falávamos *dela*. E quando paramos de falar *dela*, quando finalmente nos livramos *dela*, uns seis meses depois, fizemos um sexo triunfante, terno, e depois disso.

Depois disso.

Era hora de comprar uma casa, acho. Mas aquela primeira coisa, maluca, era importante. E a outra mulher era importante também. Um tanto implacável. Um pacto. Um derramamento de sangue. Porque nós dois sabíamos que tínhamos encontrado nosso par, em termos de ambição, ou de risco, chame como quiser, sabíamos que um dia endireitaríamos tudo assim: duas lindas filhas com dois lindos quartos. Altas, sem dúvida, e inteligentes. Que iriam freqüentar as escolas públicas que lhes estavam destinadas, e que seriam, cada uma delas, mapeadas, discutidas, ponderadas, bem amadas.

Pelo menos, esse era o plano.

— E o que aconteceu depois?

— Depois a gente se casou.

— E depois o que aconteceu?

— Depois tivemos vocês!

— É!!!

E seu pai olhou para você e saiu correndo pela porta. (E isso com certeza não é verdade. Olhe! Ele ainda está aqui.)

Tom estudou com os jesuítas, o que explica tudo, diz ele. Tem uma visão muito clara do mundo, porém se questiona constantemente. Exige muito de si mesmo e raramente fica satisfeito. É completamente egoísta, em outras palavras, mas do jeito mais elegante possível. Olho para ele, um grande, sexy traço de desespero, com o rosto enfiado num copo de uísque obscuro, enquanto traça a marca d'água do fracasso que percorre sua vida, que ali está em cada página.

E quando ele olha para as filhas, eu não sei o que ele vê. Ele ama as duas, mas é *do jeito dele*. E se ele me ama ou não, comigo também é *do jeito dele*. Mas ele está errado. Eu não sou do jeito dele. Nunca fui.

Se isto é uma briga, então são estes os fatos: quando Tom estava começando seu negócio próprio e eu com bebê pequeno, arrumei alguém para cuidar do bebê e fui trabalhar dia e noite para dar conta dos pagamentos da hipoteca. Mas quando ele começou a ganhar dinheiro de novo, ficou claro que o dinheiro dele era muito mais importante do que qualquer dinheiro que eu pudesse ganhar, que o emprego dele era um emprego importante, que não se podia esperar que ele fosse cuidar de transporte, fraldas, ranho e cocô tendo toda aquela importância à volta dele.

E no fim eu desisti de trabalhar para a gente não ficar atrapalhando tanto *o jeito dele*.

Mas embora esses sejam os fatos, não são inteiramente verdadeiros. Não sinto falta do trabalho, por exemplo. Nem um pouquinho. Mesmo agora, não consigo acreditar que perdi tanto tempo de minha vida escrevendo sobre toalheiros aquecidos. Palavras sem fim. Sobre a diferença entre couro amora e couro curtido. Sobre aveia, creme, areia, ardósia.

Era assim que vivíamos nossas vidas.

Entro em casa depois de um dia terrível no escritório, beijo meu marido, que está abalado depois de um dia de trabalhar e cuidar de bebê. Pego Rebecca do colo dele, troco a fralda, ponho creme na assadura e brigo com ele por causa disso, ou porque a geladeira está vazia, ou por causa da louça por lavar, e de alguma forma o bebê acaba dormindo e por volta das nove e meia, quando ela finalmente adormeceu, desço e pego um copo grande de vinho e xingo com vontade o meu chefe, depois arrumo a casa, bebo um pouco demais e fico acordada até um pouco tarde demais. Às onze e meia, Tom arruma os papéis de seu trabalho da mesa da cozinha e diz: "Não fique acordada a noite inteira", e depois de um tempo eu penduro o pano de pratos na torneira da cozinha e vou para a cama. Eu sei como ele está infeliz. Não há dúvidas de que meu marido é infeliz, mas também está excitado com seu novo negócio e com certeza a confusão não vai durar muito. Outras pessoas têm filhos. Outros pais não se sentem, como ele se sente, *desvirilizados* por isso: pela falta de dinheiro, pela hecatombe, e pelo fato de que não há espaço aqui para seu charme considerável.

Eu devia deixar espaço para o charme considerável dele. Encosto o rosto nas suas costas e estendo a mão para enchê-la com o pau dele, porque bebi um pouco de vinho demais e acho que ele realmente me odeia agora, e a culpa é inteiramente minha por tudo.

E ele se vira, ou não.

E nesse momento me dou conta de que ele está fazendo sexo com outra.

Não. Nesse momento me lembro o quanto ele queria fazer sexo com outra, quando essa outra era eu.

* * *

Uma semana depois do enterro de Liam eu olho o corpo de meu marido. Dormindo. Vivo. Quero ver o corpo inteiro. É uma noite quente. Retiro as cobertas depressa, ele se mexe e se imobiliza de novo.

Tom é triste quando dorme. As mãos juntas debaixo do queixo, as pernas impossíveis de compridas e grandes, não parecem nem dobradas nos joelhos, parecem quebradas. A depressão abaixo das costelas ondula para uma barriguinha baixa e a almofada do escroto descansa no V de suas coxas. Ele é muito branco.

Me lembro de fazer amor com esse corpo: uma nuvem de pêlos em torno da ponte do pênis, quando eu olhava de cima; o telhadinho da axila dele, como uma nave sem igreja, quando eu olhava de baixo. Isso era nos primeiros dias, quando não nos saciávamos um do outro e ele desenhava uma lista de chupões pelo meu corpo, enquanto ia me rolando, até eu fazer uma volta completa e cair da cama para o chão.

Me lembro do tamanho e de como eram retas as clavículas debaixo da camisa, uma noite, na chuva, nos primeiros dias, quando não era tanto como sexo, mas como matar alguém ou ser morta.

Ali está ele agora, na nossa cama, ainda vivo. O ar entra nele e o ar sai dele. As unhas dos pés crescem. O cabelo vai ficando silenciosamente grisalho.

A última vez que toquei nele foi na noite do velório de Liam. E não sei o que acontece comigo desde então, mas não acredito mais no corpo de meu marido.

12

Más notícias para Bea e minha mãe e todos os abutres que vão se juntar no número 4 da Griffith Way para o velório: vão ter de esperar mais dez dias pelo menos para poderem festejar o corpo do pobre Liam, por causa da papelada necessária.

Escuto isso do agente funerário que parece ter dezenove anos. Ele tocou meu braço no corredor do necrotério de Brighton e Hove e me levou embora, de alguma forma, num carro ou táxi, não me lembro se sentei na frente ou atrás. Mas sei que vou me lembrar disso, o cafundó da capela funerária, suburbana e pastel; uma mesa com uma cadeira de cada lado e, num painel giratório, um catálogo laminado de caixões, de todos os tipos e variedades, exceto, quando pergunto só para me distrair, o de papelão dos guerreiros da ecologia.

— Ele gostava desse tipo de coisa? — pergunta o rapaz de preto.

— Não muito. Um pouco.

Eu sei o que quero, sempre soube, mas não parece correta essa antecedência, então viro as páginas de hediondos forros de seda, franzidos e franjas, como ser enterrado dentro de uma cortina de cinema bem no momento em que o projetor se acende e começa a passar um desenho animado *Looney Tunes*. Digo uma parte disso em voz alta enquanto meu agente funerário escuta um pouco e deixa que eu me demore.

Sua boca é de um sólido vermelho arroxeado contra o branco da pele. Tem um minúsculo buraco úmido na orelha onde o brinco devia estar, mas não está, enquanto ele conversa com a enlutada.

— Sem pressa — diz ele.

Adoro esse agente funerário. Ele tem aquela coisa que os jovens tinham um pouco depois que eu cresci. Ele não finge. Ele não julga. Ele fala dos caixões com um tom de "seja o que for", como se não passasse de uma compra: as questões verdadeiras estão em outro ponto.

— Então é esse — ele diz quando aponto com o dedo um caixão simples de carvalho lixado e penso que talvez uma de minhas filhas se case com alguém assim, alguém que é capaz de se sentar à vontade com uma mulher numa sala.

— Não posso ir no mesmo vôo que ele — digo. — Seria muito...

— "Passageiros que precisem de ajuda por favor coloquem-se na frente da fila."

E eu rio. Independentemente do que ele quis dizer.

— Realmente, ele pode viajar muito bem na área de carga — ele diz.

Não é bonito. A boca é molhada e cheia demais; ele é muito mole e malformado. Mas não há nada de errado com ele. Olho as mãos e não me desagradam, e as pálpebras, quando ele fecha os olhos, piscando, dizendo que o aço escovado é melhor que o cromo, revelam um tênue desenho de veias medievais. A roupa que usa não desmente o corpo. Podia ser despido e continuar sendo de verdade.

Tenho de perguntar o nome dele de novo. (Azrael.)

Ele tocou meu braço quando eu estava parada ao lado do corpo de Liam e me levou embora. Ele é a pessoa que vem atrás de você depois que você viu o pior. Ele é o resto de minha vida.

Depois que cheguei à estação de Brighton, andei um pouco por ali, pensando que devia conduzir aquilo do jeito que havia acontecido: eu devia começar no lugar onde Liam entrou no mar, porque existe nessas coisas uma ordem que precisa ser obedecida. Então, na hora do almoço, estou andando pelo passeio e Liam ainda está residualmente vivo, eu imaginando aquele lugar escuro, com as ondas lambendo minha cintura com negra água salgada. Liam está no ar. As figuras que passam são riscadas com o grafite de seu olhar: tudo o que elas têm transborda ou cai. Uma criança obesa com seios — um menino, parece. Um velho com uma ferida debaixo do nariz. Uma mulher com uma enorme tatuagem. Um desfile de braguilhas abertas e calças manchadas, de sutiãs aparecendo debaixo de outras alças. Os vivos, com todos os seus cheiros e buracos. Liam sempre foi um grande homem no que se refere a *buracos* de pessoas e quem enfiava o que em qual *buraco*.

Ele volta à minha cabeça como um cheiro que se espalha: um espaço que se abre para permitir que ele olhe através de meus olhos e fique desgostoso com bunda ou peito, ou "peito frio" até, por carne que nunca está na temperatura correta ou com a umidade correta, *suada* demais, ou carne que é *caída*, ou *peluda*, e as mulheres, principalmente, que habitam esse triste saco humano covarde demais, ou belo demais (exceto, claro, por seus *buracos*), e, no fim, com quem você vai para a cama, quem você beija? Pessoas sem poros? Digo isso a ele, dentro da minha cabeça. Discuto, mas não consigo sacudi-lo, não consigo vencer, ao passar por velhos e velhas com suas dobras cheias de eczemas, ou me debruço no parapeito, aspirando o ar do mar para impedir que suba o vômito, pensando na carne de meu irmão e como ela vai estar dentro de dois meses, depois dentro de três meses.

Olho por cima do parapeito como se examinasse a densidade e variedade das pedras marrons da praia lá embaixo. E lá está: o cheiro aberto, o chamado, o aroma do mar. Que milagre, no final da linha Brighton, com a cidade empilhada atrás de mim, e atrás dela todo o peso da Inglaterra, em sua fumaça e sua luz, esmagada numa parada aqui, bem aqui, junto ao cheiro amplo do mar.

A primeira vez que pegamos o ferry, eu e Liam, foi no fim do segundo ano dele e primeiro meu na UCD. Estávamos indo a Londres para trabalhar no verão. Sentamos no espaço entre os vagões, de Holyhead até Euston, olhando um homem, que por uma coincidência acabou revelando ser nosso carteiro, espremer laranjas numa garrafa de vodca da loja *duty-free*. Ele estava dando a vodca para uma garota bêbada que tinha encontrado na travessia, e sacudiu a garrafa para nós também, e podíamos ou não ter tomado, mas o que eu gostei foi do jeito que ele piscou para nós antes de virar para a garota, que estava completamente bêbada, como se estivéssemos todos juntos na mesma, naquela de sedução, naquela de "Nossa! Estou com tudo".

Liam nunca nos deu um casamento.

Os Hegarty adoravam um casamento e poucos de nós realmente tivemos casamentos, grandes ou pequenos, alguns deles seculares, e, no centro de tudo, essa coisa decorosa, um homem honesto, uma garota adorável, trepando, do melhor jeito possível, ao som de vivas e tilintar de copos, e foi isso que Liam nunca aprendeu a fazer, como se ligar e desligar do sexo, como conversar a respeito, ou compartilhar, de forma que embora houvesse namoradas, nós nunca as víamos, e se as víamos ele não gostava que nós, os Hegarty, falássemos delas: uma fila de seres humanos magros, curvados, que seguravam a mão dele e nos espiavam por cima de seu ombro. Liam gostava de mulheres bonitas. Gostava de mulheres que eram doces ou gentis. Gostava daquelas garotas translúcidas. E tinha toda razão de não querer reparti-las conosco, as hienas Hegarty, eu mesma e Kitty cantando *"And they called it puppy lo-oo-oo-ove"** assim que ele saía da sala.

O engraçado, além do carteiro tesudo, nessa nossa primeira viagem noturna pela Grã-Bretanha — recém-saídos do barco, cinqüenta passos em nosso primeiro solo estrangeiro para depois subir no piso metálico do trem —, foi que sempre pensamos que estávamos quase chegando. Olhamos pela janela e, depois de um período de escuro, havia tantas luzes que nós concluímos que eram as luzes da cidade de Londres se aproximando. Só que não chegávamos nunca. E nos parecia que a Inglaterra era uma cidade só de um lado a outro, sem interrupção. Então, de manhã, quando tínhamos finalmente, definitivamente, absolutamente chegado, paramos na boca do metrô em Euston, pensando que um trem tinha acabado de parar e que poderíamos descer até ele quando a multidão passasse. Depois de um momento, entendemos que o fluxo de gente não ia parar, que não havia um trem específico, particular. Londres era toda fluxo, não tinha bordas, estava em toda parte.

Liam não gostava dos ingleses, ou pelo menos era o que dizia. Nisso tinha a ajuda, dizia, do fato de os ingleses não gostarem de si mesmos.

O esperto Liam.

---

* A expressão *Puppy love*, "Amor de cachorrinho", refere-se a namoro entre adolescentes e, aplicada a adultos, tem o sentido pejorativo de algo inconseqüente e imaturo. A canção *Puppy love*, de 1960, escrita e interpretada por Paul Anka, foi um dos maiores sucessos pop de todos os tempos. (N. do T.)

E não consigo gostar deles, essa manada a marchar pelo litoral de Brighton, todos se divertindo no mar em que Liam se afogou. Mas consigo não odiá-los, mesmo estando vivos e meu irmão morto. E me pergunto como escapei disso: da implicância de Liam com esta ou aquela coisa arbitrária. Gays num ano, americanos no outro.

Por que eu odiaria?

Nós fomos nadar à noite em algum lugar. Quando éramos jovens, nadamos à noite e não consigo lembrar onde pode ter sido isso.

Olho o vasto mar cambiante e por um momento apenas penso que tenho uma vida menor, viva como estou neste sol, menor que a do meu irmão, saindo na escuridão; sangue e uísque no mar salgado. Liam, puto, apenas a pele que o separava de seu ser de desejo. Só por um momento, penso que é mais heróico não ser.

Olho minhas mãos no parapeito e elas estão velhas, e o meu corpo gasto pelas filhas, do qual tenho orgulho, de certa forma, porque gente nova saiu de dentro dele, apenas comida para o túmulo, *apenas comida para o túmulo!* Quero gritar isso para aqueles estranhos que passam. Sinto vontade de defender o fim da procriação com uma placa na frente e atrás e um megafone: não que existam crianças demais, percebo agora, no parquinho da praia de Brighton, pelo menos não naquela tarde de terça-feira. Inglaterra, terra de gente crescida.

Mas realmente essa gente não me incomoda de jeito nenhum e adoro o agente funerário. Meu companheiro de catálogo, meu garoto inglês. A desenvoltura dele é quase espiritual. Me pergunto quem espera por ele em casa: amigos de que gosta, ou pais de que gosta. E como se faz sexo com um sujeito assim. Será que ele muda de humor?

Quando termino e sinto a mão inofensiva dele em minha própria (velha) mão, paro na calçada diante da funerária e abro o meu celular para telefonar para meu difícil marido de meia-idade quando o que quero de verdade é deitar, ali mesmo, na porta daquele garoto, até ele passar por cima do meu corpo deitado e me levantar.

Azrael.

— Como estão as coisas? — pergunto a Tom e ele me diz que as meninas vão para a casa de amigas depois da escola e que está tudo bem. Levo um minuto para entender onde ele está.

— Você está no trabalho?

— Claro que estou no trabalho.

— Rebecca tem aula de dança irlandesa — digo.

— Bom. Hoje ela não vai.

— Mas tem o espetáculo — eu grito na rua e ao mesmo tempo não acredito que fiz isso. Porque o que Tom está dizendo (com toda razão) é que minhas preocupações não são importantes, são inventadas, são algo para me manter ocupada enquanto ele cuida das coisas sérias, como ganhar dinheiro e estar mais propriamente vivo.

— Onde você está? — pergunto.

— Já disse, estou no trabalho.

— Onde no trabalho? Onde você está *no trabalho*?

Ele não pode desligar o telefone na minha cara porque estou em Brighton e de luto recente. Há uma longa pausa.

— Volte para casa — diz ele. — Quando você volta?

— O que te interessa?

— Muito — diz ele. — O que você acha? — E é minha vez agora de interromper a ligação e fechar o telefone.

Meu garoto funerário está atrás de mim com a porta aberta e diz:

— Quer mais um café? Quer que eu telefone para alguém?

Ele colocou o brinco de volta; é uma argolinha de ouro.

— Tudo bem — eu digo. — É assim que as coisas são.

Eu me apaixonei, estou começando a perceber, com meus vinte e poucos anos, quando conheci e fui para a cama com um cara do Brooklyn chamado Michael Weiss. Ele estava em Dublin para um mestrado em estudos irlandeses ou estudos celtas, ou alguma coisa assim: nós desprezávamos esses cursos, eram apenas uma coisa que a faculdade fazia para atrair americanos ricos, então fiquei surpresa de me ver apaixonada por Michael Weiss; surpresa também porque ele não era um americano alto com os ossos grandes das pradarias, mas um sujeito de tamanho mediano que fumava cigarros enrolados à mão e falava com um pedregulho do Brooklyn na boca, parte arrastado e parte contemplativo.

Ir para a cama com ele era muito doce, o jeito dele se acomodar para olhar para mim e conversar. Ele gostava de conversar enquanto estava me tocando, gostava até de fumar naquela interminável preguiça das brincadeiras preliminares que eram completamente estranhas para mim na época. Eu tinha vinte anos. Não estava acostumada a sexo tão sem objetivo e pouco específico. Não estava acostumada a sexo sóbrio, acho, e toda aquela conversa simplesmente me deixava incomodada: eu achava que ele não tinha tesão por mim. Ficava olhando o rosto dele se mexer e queria que ele fosse em frente de uma vez: a parte espantosa, a coisa para a qual a gente estava ali.

Acho que com seu jeito irônico, lento, Michael Weiss sabia que não podia se ligar a mim e tudo o que estava fazendo naquelas tardes preguiçosas era tentar me acalmar com conversa, como se eu fosse um gato numa árvore, ou uma aeromoça tendo de se encarregar de um avião:

— Está vendo aquela alavanca à direita? Quero que você solte aquela alavanca até quarenta e cinco graus.

E embora a gente fizesse uma quantidade surpreendente de vezes (sexo, quero dizer), tudo de que me lembro é da minha loucura na época, de ver da janela o dia mudar para entardecer aos trancos e barrancos. Talvez fosse uma coisa adolescente; parada nua no carpete de náilon do conjugado de estudante dele, a sentir que a mudança de luz era impossível; como se minha pele estivesse sendo tirada, à medida que o dia se esgotava, em puxões e repuxões, até escurecer.

O pai de Michael era artista plástico e a mãe alguma outra coisa. Eu não estava acostumada com isso também (a maioria dos pais que eu conhecia eram apenas pais), mas ele tinha aquele pai semifamoso e a mãe que tinha compromissos e encontrava pessoas, se vestia com elegância para sair, então ele tinha isso tudo por trás. Era difícil para ele saber o que ia fazer quando crescesse, porque já era crescido, acho eu, desde os dez anos de idade. Escrevia uns poemas e deviam ser poemas bons, mas a idéia de fazer alguma coisa era um problema para ele. Havia dinheiro, não um monte de dinheiro, mas algum, e havia se decidido, acho, já naquela época, a apenas existir, e ver o que aparecia pela frente.

Então ele agora está apenas existindo, como eu, se bem que provavelmente em algum lugar mais interessante que Booterstown, Dublin 4. Está em Manhattan, digamos, ou nos cânions de LA, e leva o filho para lições de saxofone, ou vai assistir à apresentação de dança da filha numa tarde de quinta-feira e acha aquilo tudo uma coisa importante e divertida de fazer.

Saí com Michael Weiss durante dois anos, a intervalos; ficava louca com o langor dele: me sentia inadequada com aquilo e impaciente com o mundo à nossa frente, que estava cheio de coisas para fazer. Eu não tinha certeza de que coisas eram essas, mas seriam melhores do que só ficar vagabundeando a tarde inteira, beijando, fumando, conversando sobre... o quê?... se Dirk Bogarde era realmente bonito e como ser ou não ser judeu.

Agora, claro, passo minhas tardes não assistindo à televisão, então eu sem dúvida tinha razão de desconfiar e finalmente deixar Michael Weiss por uma vida melhor, mais rápida, a vida que tenho agora, cozinhando para um homem que não aparece antes das nove horas e duas meninas que logo vão deixar de aparecer também. Fazendo um sexo lacrimoso, uma vez a cada século, com meu marido de meia-idade; sem saber se bato nele ou lhe dou um beijo.

Acenda a luz, sinto vontade de dizer. *Acenda a luz*.

Mas não é só o sexo, ou a lembrança do sexo, que me faz pensar que amo Michael Weiss do Brooklyn hoje, dezessete anos tarde demais. É o jeito como ele se recusou a ser dono de mim, por mais que eu tentasse ter um dono. Era o jeito como ele não se apossava de mim, só encontrava comigo e isso só pela metade.

Acho que estou pronta para isso agora. Acho que estou pronta para só encontrar.

Estou sentada à mesa de um café de calçada, talvez com o meu quinto café com leite do dia, quando passam uns jovens americanos, duas garotas e um rapaz. Uma das garotas está dizendo: "Sabe o que é um saco? São um saco aquelas calças com botão na frente e um botão fica aberto." E o rapaz diz: "E você fica tipo... assim, saca?", com as mãos cruzadas pelo pulso na frente da braguilha, como a imagem de um Cristo flagelado.

Era assim que eles eram, os americanos na faculdade em Dublin: límpidos, ruidosos e interessantes, ao menos para eles mesmos. Talvez fosse assim que nós todos éramos, embora ninguém usasse camiseta de manga comprida por baixo de camiseta de manga curta na nossa época. E não sei se "saco" era uma boa palavra na época. Penso no gesto do rapaz e me pergunto por que é uma coisa tão horrível de dizer. Se alguém é um saco, então essa pessoa é do pior tipo possível. Um errado. Uma palavra tão social, acho, uma palavra de turma, para uma idéia muito privada.

É assim que minha cabeça funciona, quando não consigo me segurar e volto de trem para o aeroporto enquanto meu irmão é decantado, transportado e embalsamado (o uísque deve ajudar), em algum ponto da cidade atrás de mim. Entro em algumas lojas e experimento a normalidade por algum tempo, acabo me sentando imóvel enquanto o ruidoso mundo passa por mim, com uma grande colher de café na boca, chupando.

13

Quando eu estava na faculdade, resolvi que Ada tinha sido uma prostituta: essas coisas que a gente faz. Deve ter sido por volta da época em que ela morreu. Me lembro de discutir minha teoria com Michael Weiss, que gostou muito dela, embora, conforme apontou, fosse igualmente possível que ela tivesse sido uma freira, o que, na opinião dele, era exatamente a mesma coisa, provavelmente porque ele era do Brooklyn.

Bom, é.

Michael Weiss era o tipo de pessoa que tomava chá com leite num dia e no outro desistia, e teria, sem dúvida, me deixado louca com o passar do tempo. Mas acho que falou uma verdade sobre Ada, ou sobre a distância entre Ada e eu. Porque eu também podia muito bem ser do Brooklyn, olhar o fato misterioso da vida dela e decidir por uma história que nos explicaria a todos.

Acho que não compareci à remoção, quando ela morreu (provavelmente passei a noite no bar de Belfield), e as questões sobre quem ficaria com a casa e para quem iria o dinheiro quando o corpo de Ada fosse retirado dali me eram completamente indiferentes. Embora não essa questão, de repente, de quem ou o que ela havia sido; a órfã, Ada Merriman.

Fui ao funeral, isso sim. Ali está o crespo do cabelo de minha mãe na fileira à minha frente, com nosso pai de um lado e, do outro lado, a irmã dela, nossa tia Rose. Havia um terceiro filho, um irmão chamado Brendan, mas ele provavelmente já estava morto na época, de forma que aqueles eram os tristes remanescentes da sorte de Ada: nossa drogada mãe, Maureen, e Rose, a professora de arte, que vestia tweeds verde-esmeralda e azul-cobalto. Os filhos Hegarty estavam na fileira logo atrás delas: parentes e bebês eram filtrados para bancos mais distantes e é possível que estivéssemos sentados, já naquela época, por ordem de idade; "uma escadinha perfeita", como as pessoas costumavam dizer, embora os degraus agora estivessem irregulares, com falhas e tábuas quebradas e desproporções entre um degrau gordo e o seguinte. Crescidos, nós todos parecíamos meio birutas, cada um de nós: parecíamos todos errados.

Depois, parei à margem da multidão e fiquei olhando o caixão de minha avó descer, com melancólica indiferença. A Ada de anos recentes era uma velha vivendo o tempo que lhe era destinado. Era boa, claro, era minha avó, mas não era a mulher que me acordava às quatro da manhã com a resposta para tudo: o enigma Hegarty, a razão de sermos todos tão fodidos e tão absolutamente presentes.

Lamb Nugent observa Ada Merriman do outro lado do carpete do Belvedere Hotel e ela olha direto para ele, e o resto, como dizem, é história.

Cinqüenta e seis anos depois tomamos chá com sanduíches, seguidos de autocongratulações na casinha surpreendentemente pequena dela em Broadstone; a segunda geração a se expandir, os princípios da terceira, minha mãe hesitantemente entronizada no quarto bom, a irmã dela reclamando na cozinha de tudo em que pousava os olhos. Então, as coisas que dão errado com a cara das pessoas já haviam dado absolutamente errado com a delas; a boca de Rose repuxada num talho de reprovação, o olhar de minha mãe agora líquido e vago. Ada podia ter sido boa com os filhos dos outros, mas era manifestamente terrível com os próprios. Mas, "Ah, ela era um encanto", eles diziam, os vizinhos e poucos amigos restantes: dois homens (hoje me dou conta de que eram gays), que eram bons com ela, a filha de uma atriz já falecida que trabalhava na televisão. E Jimmy O'Dea não mandava uma cesta de frutas no seu aniversário? E Frank Duff, que era o líder atual da Legião de Maria, comparecia à casa dela todo Natal. Comparecia mesmo: eu me lembro dele, deve ter sido no ano que passamos lá, chegando como um pequeno Papai Noel solteirão com uma caixa de chocolates numa sacola de barbante. Ele a entregou para Ada e apertou seu braço, como se tivessem vivido demais, os dois, para restar ainda alguma coisa a dizer.

Aquela manhã de Natal estava clara e revigorante como sempre: minha lembrança não permite que chova. Mas também não permite que a gente vá para casa em Griffith Way, porque foi no ano em que estávamos acampados com Ada, eu, Liam e Kitty, e não vimos nossa mãe, nem mesmo no Natal, embora nosso pai tenha efetivamente chegado com uma Bea toda convencida em algum momento da tarde.

— Mamãe ainda não está bem — ela disse, parecendo superboazinha com um pulôver novo, estilo mohair com listras roxas e azuis. E à noite, o sr. Nugent apareceu com uma caixa de geléia com frutas, ou geléias em forma de frutas, em semicírculos laranja, amarelos e verdes.

Eu era ainda muito próxima dessas coisas para lhes dar valor no ano em que Ada morreu. O passado era um tédio para mim, a morte de Ada completamente tediosa, enquanto servíamos sanduíches e sofríamos com o ar usado demais daquelas salinhas. E "Ah, ela era incrivelmente boa, sua vovó", o que era verdade, claro. Que era apenas verdade. E elas beberam ou recusaram o xerez leve e limparam a cozinha num ataque de papel-toalha e foram embora, deixando minha mãe na poltrona do quarto bom, meu *uxórico* pai parado ao lado dela, ligeiramente curvado; tia Rose no andar de cima fumando escondido um último cigarro na janela do banheiro, muito embora a mãe dela estivesse morta demais para se importar com aquilo e, além do mais, ter sempre sabido que ela fumava.

Pode ter sido um pouco indecente, mas nessa altura é que fomos mandados para o quarto de Ada, com instruções de nosso pai para "pegar o que quiserem"; as meninas Hegarty fruindo aos gritos a mais silenciosa discussão que jamais tiveram, engasgadas de fúria e se odiando aos sussurros. Eu terminei com umas fileiras de contas de azeviche, as plumas de avestruz pretas do aparador da lareira de Ada e uma mãozinha de porcelana com uma depressão na palma, onde ela guardava os anéis. Alguém ficou com os anéis, claro: eu não tive a menor chance. Kitty sempre precisava das coisas mais que os outros, Bea sempre merecia mais, enquanto a pobre Midge, bem, a Midge sempre recusava tudo até ser convencida a ficar com tudo. Então saí da casa com um uivo de remorso por tudo o que me havia sido negado, embora não houvesse lá nada que eu realmente quisesse. Num capricho, eu havia me apossado das amostras e livros de tecidos e à luz do dia me pareceram objetos tão inúteis que joguei tudo dentro de uma lata de lixo na rua. Eu não sabia como querer o que ela havia deixado. Queria sair de lá, só isso. Queria uma vida mais ampla.

Liam sentia falta disso tudo, porque depois do verão em que fomos trabalhar em Londres ele não voltou para casa. Ou melhor, voltava de vez em quando e ia a algumas aulas: eu topava com ele no restaurante ou no bar, e ele sempre tinha algum outro lugar para ficar e, depois de alguns meses loucos, foi-se embora.

Era o último ano dele na faculdade. Quase toda noite, eu perdia o ônibus e ficava com Michael Weiss no seu conjuga-do em Donnybrook: dois cômodos altos com uma divisória que não chegava até o teto em torno da toalete e outra em torno da quitinete. A porta do quarto estava faltando e havia um velho guarda-roupa maciço encostado na parede. Eu dormia entre es-ses pedaços de escuro: o guarda-roupa preto e o bloco aberto da moldura da porta, através dos quais meus sentidos oscilavam, o sexo ainda quente e doendo entre as coxas e nenhuma possibili-dade de descanso em parte alguma.

Há coisas que contei para Michael Weiss naquele ano que nunca mais contei para ninguém. Era 1981. Nada havia acontecido ainda na Irlanda: é engraçado dizer isso? Nada havia acontecido ainda na minha vida a não ser a necessidade de es-capar dela. Eu obrigava Michael Weiss a beber uísque (as cenas que fazia daquilo), obriguei-o uma vez a me arrastar à força pelo quarto e para lá e para cá na rua para anular o efeito de uma overdose, evidentemente pequena, de paracetamol. Fiz Michael Weiss sofrer maravilhosamente e o levei à loucura, quando tudo o que ele queria era se acomodar em um braço, e olhar na minha cara, e me acalmar com conversa.

Minha imagem dessas noites é uma mulher (eu mesma) deitada na cama, com as costas arqueadas, a boca aberta e a mão arranhando a parede. Sem som.

14

Eu penso nela quando lavo os pratos. Claro que tenho uma máquina de lavar pratos, então se alguma vez preciso chorar, não é na pia, silenciosa como Ada. A pia era o lugar dela para isso. Olhando para os fundos da casa, por causa de alguma coisa a respeito das infindáveis batatas que precisava descascar, ou da esqualidez do quintal, mas, como toda mulher, talvez Ada desse uma fungada de vez em quando e aí, plinque, plinque, umas lagriminhas pingavam na água da pia. Como toda mulher, Ada às vezes tinha de limpar o nariz na manga, porque estava com as mãos molhadas. Não há nada de surpreendente nisso. Embora eu tenha de dizer que tenho uma lavadora de pratos Miele de aço inoxidável. E se preciso dar uma chorada, faço isso de forma respeitável, na frente da televisão.

A vida era dura para minha avó, sei disso agora. O surpreendente era que, quase o tempo todo, ela não chorava, mas simplesmente seguia em frente.

Ada acreditava em muito pouca coisa. Acreditava numa casa limpa. Mas não acreditava, nem mesmo sugeria, que se você comesse a semente nascia um pé de maçã do seu umbigo. Eu acho que ela não ia acreditar na minha imagem da "órfã Ada Merriman"; embora seja efetivamente verdade que os pais dela morreram antes de ela crescer. Ada simplesmente não fazia essas *coisas* todas. Havia algo em imaginar coisas, ou mesmo lembrar de coisas, que ela achava ligeiramente desagradável: como fofoca, só que pior. Hoje em dia, claro, eu faço pouco além disso. E é tudo culpa dela. Porque se eu olhar para o ponto onde minha imaginação começou, foi na pia de Ada, em Broadstone.

Havia uma bucha de fios de plástico vermelho emaranhados para o trabalho pesado, um pano verde grosso para o trabalho minucioso e uma esponja para acabamento. Havia um pano branco de algodão para limpar o oleado, que não podia nunca ser usado para enxugar pratos. Havia um pano para o chão, que nunca era colocado no oleado. Eu tinha de saber de tudo isso, porque era a menina mais velha da casa. Era meu dever assumir o posto da pia e lavar a louça.

Eu não achava muito ruim. Gostava de ficar perto dela.

Mas eu imaginava coisas, sim. Parada na frente daquela pia de Belfast, com uma vista do quintal e a porta verde da garagem lá adiante, eu imaginava Ada com a mala dela aos nove anos de idade, ou dez, ou seja lá qual for a idade em que a mãe dela morreu e ela se viu sozinha diante do vasto mundo. Tentei imaginar um pai para ela, mas não consegui. Imaginei minha própria mãe morrendo em Griffith Way (muitas e muitas vezes, na verdade), mamãe morria, papai chorava e morria e depois, quando ela era enterrada, eu imaginava grandes aventuras para mim e para Liam, agora que éramos órfãos também.

E esse tempo todo, Ada tinha de enxaguar os pratos com água direto da chaleira e Charlie piscava para mim quando ela estava de costas.

Ela me chamou ao seu quarto uma manhã. Ia a algum lugar, estava se vestindo. Ela usava também, eu me lembro, uma tala no dedo enfaixada de rosa, presa bem firme com um elo de elástico em torno do pulso. Por alguma razão, acho que tivera um acidente com a máquina de costura, mas isso parece, realmente, perverso demais para ser verdade. Não tenho nenhuma lembrança de unhas perfuradas, de qualquer forma, nem de gritos e comoção no quartinho. (E o fato de eu ser capaz de conjurar isso agora — a agulha deslocada, a dolorosa extração da mulher da máquina, me faz pensar que Ada tinha razão; existe alguma coisa de imoral no olho da mente.)

De qualquer forma, a tala estava no dedo dela e fui chamada ao quarto de cima e: "Venha cá", ela disse, olhando por cima do ombro e levantando um pouco a saia, atrás. "Prenda aqui." E virou a perna para mim para eu ver de lado.

A coxa dela era surpreendentemente pequena. Tinha um mapa azul de veias estouradas num emaranhado, acima da borda solta da meia que estava dobrada em cima numa grossa faixa alaranjada. Havia pequenos fechos brancos pendurados de elásticos sanfonados, vindos de um lugar que eu não conseguia enxergar, ou não queria enxergar, e levei séculos para entender o que ela estava me pedindo para fazer. Eu tinha de me agachar diante dos painéis góticos do corpete dela e prendê-lo às meias que estavam esperando embaixo. Me lembro da pressão macia das presilhas de borracha em torno do náilon que não ficava no lugar, do frescor da perna dela, e do cheiro acre azedo de sua respeitabilidade. E imaginei que todo homem que aparecia na porta sabia daqueles vazios secretos entre as roupas dela; a surpresa do bipedalismo dela e a abóbada apertada do corpete, tudo aberto para o ar debaixo.

E talvez soubessem.

Então, quando Frank Duff apareceu na porta, pensei que ele estava a fim dela também.

— Só uma coisinha, Ada. Não, eu insisto! Só uma coisinha de nada.

Frank Duff, o próprio, que era o próprio líder da própria Legião de Maria, uma organização religiosa dedicada, em 1967, à frivolidade e ao preparo de chá.

— Deus a abençoe. Feliz Natal para toda a sua família.
— E passou uma mão amorosa em meu rosto, pegou de leve meu queixo e soltou.

O sr. Nugent veio depois com a caixa de geléia de frutas. Ignorou Ada e preferiu conversar com as crianças. Era Natal: era o nosso dia.

Na verdade, Frank Duff passara seus primeiros anos resgatando prostitutas das ruas de Dublin. Era isso que fazia em 1925, aquele homem adorável, inteligente; organizava as missões, tirava as garotas dos bordéis, as comprava de suas donas e as levava para retiros. Era isso a Legião de Maria no começo, grande trabalho. Na Quaresma de 1925, quando Ada conheceu Charlie, Frank Duff estava fazendo muito mais que suas orações.

Isso eu descobri quando fui atrás dele no meio das estantes da biblioteca da faculdade, trabalhando num ensaio para minha avaliação final, que intitulei (sem nenhum senso de ironia, acho) "Sexo pago no Estado Livre da Irlanda". Porque de repente eu tinha certeza de muitas coisas. Inclusive do fato de que as pessoas trepavam, essa era uma das coisas que elas faziam: homens comiam mulheres, não acontecia no sentido inverso, e esse surpreendente mecanismo viria a mudar, não apenas o meu futuro, que estava se estreitando cada vez que eu olhava para ele, mas também o mundo mais amplo e acabado do meu passado.

Então imaginei por algum tempo que Ada era uma das putas convertidas de Duff. Ela não era uma puta vulgar, claro, era uma órfã. Mal chegava a ser uma puta. Era uma pobre garota, que virava o rosto para a parede quando as moedas tilintavam na mesa-de-cabeceira e o vulto escuro de um homem saía do quarto.

Vamos ficar com isso. Roupa de baixo de cetim, com a renda um pouco rasgada. Uma imagem da Virgem guardada numa gaveta, até ele ir embora. Um romance sobre decadência. E tremendo na sala de espera do médico, apertando a gola do casaco de lã no pescoço, onde falta um botão. Uma fantasia empoeirada de classe média, de meias enrugadas e tuberculose, e agachada para se lavar numa bacia no chão.

Então há padres no salão da frente do Belvedere Hotel naquela noite na Quaresma: uma madame e nosso homem com a Bandeja de Leite, Frank Duff. Estão pagando à madame. Discretamente. Estão fechando a casa dela.

Lá fora, Ada e Nugent escutam e depois esquecem de escutar a fina linha de conversa que se infiltra do salão da frente. Por um momento ao menos, eles ficam meramente parados um na frente do outro: o homem da Legião e a costureirinha prostituta. No que vai dar? Ela é linda. E ele não é melhor do que devia ser. A cidade está quieta e o hotel está quieto, não há ninguém ali para dizer a Lamb Nugent que ele vai sentar na boa sala da frente dessa mulher pelo resto da vida, segurando a sua pequena xícara de porcelana para o *Mais chá, Lamb?*

Ninguém, isto é, até Charlie Spillane entrar pela porta.

— Madame — ele diz tocando seu chapéu inexistente. — Espero que este sujeito tenha lhe feito companhia.

Michael Weiss, como eu disse, adorou a história, mas, assim que a adorou, eu mudei de idéia. Assim que mencionou a palavra "prostituição", meu caracolzinho de história encolheu em busca de sua saída para o mundo. Ele não conheceu Ada. Não fazia a menor idéia do que eu estava falando. Eu estava falando de família. Estava falando do que nós fazíamos, três vezes por noite. Falando da flor de carne da minha boceta, debaixo da mão dele.

Enquanto isso, Liam virou-se e foi embora de novo. Ele tinha um quarto num pardieiro em Stoke Newington e estava inquieto com os exames; nosso pai ficava cor de beterraba quando falava no desperdício de talento dele e no dinheiro jogado fora com mensalidades.

— Diga para aquele seu irmão. Se encontrar com ele. Diga para aquele seu irmão olhar na minha cara se for capaz. Diga isso para ele.

— Ah, o quê, papai? Dizer o que para ele?

— Como assim, *o quê*?

— Tudo bem. Eu digo.

— *O quê*?

— Eu digo para ele.

Mamãe estava dizendo:

— Para quem? Dizer para quem?

A parte americana de Michael Weiss achava a família Hegarty um barato. Ele encontrava com Liam de vez em quando no bar de Belfield e os dois se davam bem daquele jeito surpreendente dos homens: o homem com quem você está indo para a cama e seu irmão, por exemplo, que olham um para o outro, balançam a cabeça, e *se dão bem*. Me deixava ligeiramente maluca, na verdade, ver os dois saírem para jogar uma sinuca, enquanto eu ficava lá sentada sozinha com um copo de Satzenbrau.

Mas tivemos umas noites boas, nós três, eu e Liam fazendo aquilo que começamos a fazer naquele primeiro verão em Londres, que era contar histórias sobre nossa família como se fossem todas inventadas. Fazíamos uma cena em dupla sobre a ordenação de Ernest, as horríveis solas amarelas dos pés dele quando estava prostrado no altar, a cara de nossa mãe, quando o vodu estava todo terminado, cambaleando para ir vestir os paramentos nele e, depois, como numa espécie de festa de casamento, os dois cortando o bolo juntos, meu irmão e minha mãe, e se beijando ao terminar.

— Não acredito — Michael Weiss disse. — Sua mãe! Não acredito! — e começava a contar alguma coisa sobre o *bar mitzvah* dele que era, evidentemente, ignorado.

Se bem que ele não via graça nenhuma em algumas coisas que achávamos engraçadas na nossa família. O mais velho dos meus irmãos menores, Stevie (que morreu aos dois anos):

— Obra dela — Liam dizia. — Ela botou um travesseiro na cara dele — e morríamos de rir. — Bom, qual é, ela estava grávida o tempo todo. O tempo todo.

— Você não faria isso?

Não demorou muito para Michael querer ir à nossa casa. Eu não sabia como explicar para ele que ninguém ia ligar se ele fosse em casa ou não, mas que todo mundo ia rir dele durante um ano se ele aparecesse na porta. Na ocasião, ele tocou a campainha com um buquê bem típico de baile de formatura americano, e foi entrando como Cary Grant, pelo hall, pela ampliação da sala de estar e além dali até a ampliação que era a cozinha; meu pai deu um pulo da cadeira para apertar a mão do rapaz e "Ah, olá", disse minha mãe, como ela dizia, *e dirá talvez*, para o alienígena que descer num raio de luz em cima do linóleo dela, ou para o junkie com uma faca na mão, como dirá no leito de morte para a enfermeira, ou para o túnel de luz se abrindo.

— Ah, olá.

— Michael Weiss, senhor — disse Michael Weiss, estendendo uma mão franca e masculina; meu pai, é preciso admitir, engoliu a vontade de perguntar se aquele nome era judeu, embora tenha me perguntado depois.

— Weiss, não é um sobrenome judeu? — insistindo que ele não podia ser anti-semita porque não conhecia nenhum *bendito* judeu.

— Bom, conhece um agora.

Tudo isso antes de eu começar a passar noites fora e as brigas começarem. Não dava para entender de onde ele tirava a energia. Meu pai tinha um temperamento inflamável, mas raramente perdia as estribeiras com as filhas. Perdia com os filhos, mas só quando o confrontavam. Claro que os filhos o confrontavam o tempo todo, mas, quanto às filhas, ele era capaz de ignorar todas as vezes que chegavam tarde da noite, contanto que não se pedisse a ele dinheiro para pagar o táxi, podia-se passar por ele caindo de bêbada, contanto que se passasse direto e se subisse a escada, ele não escutava ninguém vomitando na privada, contanto que estivesse limpa depois, mas quando ele pede um cigarro e você tira da bolsa uma caixa de camisinha, como uma catastrófica colegial, ele é obrigado a explodir e continuar explodindo, como o gêiser Velho Fiel, até você encontrar uma *alternativa de acomodação*.

Além de qualquer outra coisa, eram ilegais. Todo mundo tinha. Precisasse delas ou não.

Não havia o que papai não dissesse. Ele não tinha nenhum sentido de limite. Era quase como se falasse consigo mesmo. Eu estava me *prostituindo por toda Dublin*. Eu era *mercadoria de segunda mão*, estava me *transformando numa privada*, sem brincadeira, embora eu ache que o que ele realmente queria dizer é que eu não estava *fazendo o que tinha de fazer*.

A gritaria aconteceu dois ou três meses antes dos meus exames finais. E embora tenha sido bem engraçada de certa forma, afetou meus exames: e eu os levava a sério. Talvez por isso eu tenha me sentido tão desligada: lá estava eu sentada na cozinha, pensando em Robespierre, sem falar de Frank Duff, meu pai estourando de raiva (ele era um homem pequeno, papai), e acho que eu também dei meus bons berros, mas uma parte de mim ficou só olhando para ele, todo arrepiado, o pescoço muito vermelho, enquanto o rosto estava branco feito giz, e aí o vermelho ferveu em torno dos olhos azuis, até o rosto dele ficar de repente de um vermelho uniforme, explodindo. Havia também a se levar em conta a cúpula vermelha da careca dele. Me lembro de pensar que ele próprio não acreditava no que estava dizendo e era essa falta de convicção, combinada à minha, que o levava a tais extremos.

Lá em Belfield, minha melhor amiga, Deirdre Moloney, tinha sido injustamente expulsa pela mãe por um nada: garota de tipo muito discreto, ela só havia feito sexo duas vezes. Tinha filho sendo expulso por Dublin inteira. Todos os nossos pais eram malucos naquela época. Havia alguma coisa no simples cheiro da gente crescendo que fazia com que eles ficassem completamente malucos.

Durante algumas semanas, papai não conseguia olhar para mim e isso me machucava naquele ponto filhinha do papai, aquele ponto em que você confia e com que flerta. Mas embora machucasse, eu descobri que conseguia me valer de mágoas mais antigas do que aquela, e foi assim que sobrevivi. Foi assim que todos nós sobrevivemos. Apelávamos para a cicatriz mais antiga.

O que dói agora é o fato de papai estar morto. Ele morreu em 1986. Assim sendo, não chegou a entrar numa loja que vendesse camisinhas ao lado do caixa. Nunca precisou mudar de idéia, nem no mais mínimo ponto. Penso nele também quando seguro o osso de siba que Rebecca encontra na praia, porque me lembra um caroço de manga; o fato de que quando papai morreu ninguém na Irlanda comia manga, embora eu me lembre que o kiwi fazia furor na época. E sinto que tenho de consolá-lo por causa das mangas. Tenho de consolá-lo pela distância que percorremos desde o ponto em que ele parou.

A propósito, seu fantasma não podia se importar menos com quem ia para a cama comigo. O fantasma dele tinha superado o sexo. E às vezes acho que eu também.

Mesmo assim, houve Michael, antes da tormenta, apertando a mão de meu pai e meu pai evitando dizer:

— Weiss? Que nome é esse afinal?

Eu entrando na cozinha com um vestido Jenny Vander cor de bronze, muito linda na minha opinião. Nós dois nos afastando a pé da casa onde eu cresci, Michael Weiss transbordando de satisfação.

— Eu não acredito — ele disse. — Não acredito. Tudo o que você disse. É tudo verdade.

E fiquei, e ainda fico, até no momento em que escrevo isto, mortificada.

15

A porta do hall de Ada dava direto para a rua. Não havia jardim, nem caminho de entrada, de forma que as pessoas passavam muito perto, sem nunca entrar. Esse arranjo era tão implacável quanto a própria Ada, e tão excitante quanto. Na minha cabeça, ela estava sempre contra o fluxo do mundo.

No verão, a porta tinha uma cobertura de lona cor de creme, com listas grossas e finas cor de ferrugem. Havia uma boca horizontal cortada na altura da caixa de correio, um corte comprido para a aldrava e um buraco redondo pequeno para a campainha. A porta por baixo, se alguém levantava o pano, era pintada de verde-garrafa.

A casa ficava num terraço de casinhas idênticas, cada uma simétrica à seguinte, de forma que as portas ficavam encostadas umas nas outras aos pares. Nós dormíamos nos fundos da casa. Me lembro de ficar na frente da janela do quarto e ver lá fora a pequena garagem no fim do jardinzinho de Ada e a alameda adiante. Tínhamos dois quartos para nós três, um grande para as meninas e um estreito para Liam. O papel de parede era estampado com flores azuis e verdes, bulbosas e ligeiramente metálicas; fazia o lugar todo estremecer um pouco ao meu olhar fixo de criança.

Cá estou eu, aos três anos de idade, com o ouvido apertado no penhasco de lata bege da máquina de lavar roupa, ou olhando por cima da boca, para ver as roupas girando e batendo: Ada empurrando roupas entre os rolos compressores (*Não toque nos rolos!*), o restinho de sabão chiando ao sair, enquanto algum vestido, catastroficamente arruinado, desliza devagar, depois cai do meio dos rolos para dentro do balde como um troço de tergal.

Eis-me comendo a borracha da touca de banho de Ada, cujas famosas flores amarelas apareceram na minha fralda no dia seguinte. Se bem que, claro, deve ter sido na fralda de Kitty, dificilmente na minha, que tinha três anos na época. Ada gritando por Charlie, que olhou por cima do ombro e disse:

— Onde se viu uma menina tão esperta?

Claro que fiquei com ciúmes da minha irmãzinha, mas eu tinha por ela um amor peculiar, feroz. Não é de surpreender que eu roube lembranças dela como minhas. Embora nenhum homem, me dou conta agora, jamais ponha a mão numa fralda suja, como posso ver Charlie fazendo na minha memória, para levantar um buquê de flores amarelas cheias de merda.

Cá estou eu, definitivamente, puxando a touca de banho na frente do rosto. Lambo o sal dentro dela, até ficar grudada: o cheiro do cabelo de Ada no mar. Então começo a me afogar na luz rosada, que explode em flores macias de um vermelho vivo e, curiosamente, preto brilhante.

Isso aconteceu? O mundo a machucar quando a touca foi removida; Ada, fora de mim, gritando. Eu sendo apertada em seu magro peito, que tinha gosto de sabão em pó para roupa de bebê e lã.

O mais provável é que Liam tenha posto a touca no meu rosto e quase me matado. Ou foi Kitty que foi sufocada por nós dois. Brincávamos de desmaiar o tempo todo, coisa que situaria a touca (a deliciosa, fantástica touca de banho cor-de-rosa, com as flores amarelas molengas) no mundo de uma criança de oito anos, não no de uma de apenas três.

Às vezes, em lojas de roupas de segunda mão, procuro objetos como esses, pensando que, se conseguir pegar a touca em minha mão, puder esticá-la e cheirar, então saberei qual era qual e quem era quem, entre Kitty, Liam e eu.

Da segunda vez que ficamos na casa de Ada, nosso pai nos levou de carro numa tarde sem trânsito, devia ser um domingo, com as malas no bagageiro. E a coisa que me deixou perplexa na época foi como ele sabia o caminho.

Foi dessa vez que o silêncio aconteceu, quando eu fiquei no quarto dos fundos, e olhei para a garagem e a alameda. Era um silêncio esmagador, como se o ar fosse feito de madeira, e as flores bulbosas do papel de parede do quarto dos fundos ao mesmo tempo estremecessem um pouco e ficassem inteiramente imóveis, aos meus olhos de oito anos.

E não sei como isso se encaixa, mas lá está meu pai na cozinha em Griffith Way, talvez seis anos depois, segurando a espessura da mesa de madeira como se fosse uma bíblia, e ele está gritando para Liam numa voz cuidadosa as frases: "Amei sua mãe desde o dia em que bati os olhos nela. Eu adorava o chão que ela pisava."

Isso devia ser por Liam ter dito alguma coisa completamente insultuosa aos treze anos de idade. Os lábios de meu pai finos e roxos, o peito funcionando como um fole, soprando para fora, vento após vento de frase.

— AMEI sua MÃE desde o DIA em que bati os OLHOS nela. Eu ADORAVA o CHÃO que ela PISAVA.

Enquanto Mossie lia o jornal e eu continuava minha lição de casa e Midge gritava alguma coisa junto e preparava uma xícara de chá.

Ele sem dúvida estava sendo sincero. Meu pai, tremendo, naquele momento antes de alguma coisa ser atirada ou quebrada. Liam então o chamando de babuíno de merda, provavelmente.

— Você é um babuíno de merda!

E voando para fora da sala, antes de ser alcançado e levar uma porrada.

Meu pai era um homem pequeno. E o peito dele chiava e cantava. E não há coisa de que eu me lembre mais do que aquele silêncio quando ele fechou a porta da casa de Ada, sentou no banco da frente do carro e foi embora.

O jardinzinho de Ada tinha provavelmente um metro quadrado, mas nós achávamos que era um lugar excitante, com maçãs silvestres e urtigas: a porta da garagem às vezes estava aberta e às vezes trancada, e o fato de nunca se saber se o sr. Nugent estava lá dentro só aumentava o interesse. Liam usava as ferramentas da bancada ou brincava com o carro quebrado lá dentro. Eu me sentava no couro azul pespontado do banco da frente, que era firme nuns pedaços e rasgado em outros. Não tentava dirigir; o painel era muito estranho. Eu só ficava escorregando para cima e para baixo do estofamento, ou me retorcia nas lindas fileiras de pontos e falava com uma voz distinta para quem estivesse dirigindo, houvesse ou não alguém de fato ali.

Duas portas duplas abriam para a alameda dos fundos, onde havia um outro carro suspenso em blocos, uma coisa azul-pastel e cromados com grandes nadadeiras americanas. Até hoje eu não consigo ver um carro caindo aos pedaços sem sentir uma pontada. O sr. Nugent ia e vinha pelas portas da alameda e remexia na bancada, ou, se o tempo estava bom, enfiava a cabeça debaixo do capô do monstro americano. Uma sexta-feira, ele deu a volta para bater na porta da frente, e sempre trazia doces para as crianças. Estava de chapéu, que tirou quando Ada abriu a porta. Levou muito tempo para eu me perguntar sobre a formalidade desse arranjo ou sobre o que estava acontecendo.

Ada o chamava de Nolly, embora nós todos soubéssemos que ele se chamava sr. Nugent, se fosse preciso chamá-lo de alguma coisa, o que não fazíamos. Às vezes, ela o chamava de Nolly May, e falava depois que ele ia embora: "Ah, Nolly May", empurrando a cadeira onde ele havia se sentado virado para a parede. Ele não fazia muita coisa além de ficar ali sentado, recebendo o insulto do papel de parede, mas havia sempre um ligeiro suor nele, e pigarreava bastante, mas dava para perceber o quanto gostava da vovó.

Ela tinha maneiras deslumbrantes. Gostava de arrumar coisas numa bandeja. Tinha opiniões sobre açúcar em cubos e qual o lugar certo para deixar seu biscoito entre uma mordida e outra, coisas que faziam a gente se sentir bem incomodado e muito amado. Ela fazia vestidos no quartinho do andar de cima e às vezes trabalhava no teatro, razão pela qual tudo tinha de ser tão respeitável. O que explicava um certo clima que havia entre ela e os atores que às vezes vinham fazer uma prova da roupa. Parecia haver algum clima entre eles, até (ah, vamos logo!) o quartinho ficar cheio de insinuações. Se bem que ela deixava aquilo tudo de lado depois que o hóspede ia embora e me dizia que o palco era uma vida interessante, mas que deixava a pessoa muito amarga. Ou então dizia alguma coisa estranhamente memorável, como: "O sexo não leva a lugar nenhum neste mundo. Lembre bem disso, sexo não leva exatamente a Lugar Nenhum."

Embora Charlie estivesse sempre fora de casa, ela nos tinha por companhia e às vezes uma das atrizes dormia no quartinho, caso tivesse uma apresentação na cidade; espremida entre o manequim e a máquina de costura elétrica. Pelo menos eu acho que ela dormia lá. O manequim tinha um estranho efeito na minha imaginação; agora não consigo nem abrir a porta dentro da minha cabeça para olhar lá dentro.

Peggy McEvoy, era assim que se chamava. E estava noiva de alguém da televisão.

E lá estava Nolly no quarto bom, pigarreando e engolindo, enquanto comíamos os biscoitos VoVo que ele trazia e as balas de anis Blackjack. Eu o conhecia pelo gosto dos doces e pelo brilho de seus óculos, ou pelo volume de seus bolsos, ou pelos estranhos pêlos que cresciam dentro de sua orelha. Ele colocava as mãos bem em cima de cada joelho e sempre se inclinava ligeiramente para a frente, sem encostar direito nas costas da cadeira. Sentava-se como alguém que não estava praticando muito sexo, agora que o vejo com o olho da memória, e seu olhar era também casual demais, de um jeito que eu agora reconheço. Embora ele tivesse, à sua maneira sombria, quatro filhos e uma esposa que nunca vimos, chamada Kathleen. Quando Ada não estava na sala, ele se levantava da cadeira, ia até a televisão e a desligava com um tranco. Então voltava a se sentar e olhava para nós. Depois de um minuto tirava de dentro do bolso alguma coisa.

— Não é um brinquedo.

Embora fosse sempre alguma coisa interessante. Um dia, foi um rato branco (devia ser um rato) com olhos vermelhos e rabo cor-de-rosa, e ele levantou o punho do meu macacão para ele correr por dentro da manga até o meu peito: Ada entrando então para gritar.

Ela servia o chá numa daquelas mesinhas que tinha duas outras mesinhas guardadas debaixo dela, uma menor que a outra. "Ponha a toalha na mesa", dizia para mim. E "Charlie isto", "Charlie aquilo", ela dizia para Nolly May, colocando a bandeja na mesa ou entregando a ele uma xícara de chá. Era do nosso Vô Charlie que ela estava falando, o qual, quando Nugent não estava lá sentado, falava: "Que horas ele foi embora? Você viu ele pegar o dinheiro da prateleira?"

Não acho que Charlie bebesse (até os vícios dele eram antiquados), ele só fazia todo o resto. Ou nada do resto. Era difícil dizer o que ele fazia, a não ser se ausentar. E às vezes voltar com roupa diferente.

— Ah, ele tratava a mulher como uma rainha — disseram no funeral enquanto comiam. Eles tinham uma história,

Ada e Charlie, isso com toda certeza, na qual cada um desempenhava o papel mais importante, e quando ela atravessava a sala até ele, dava para ver como se sentiam pesados, como se o amor deles fosse uma grande carga, além de uma grande alegria.

Uma vez, entrei na sala e eles estavam sentados um em cada ponta do sofá, ele com o pé envelhecido dela no colo, massageando por cima da meia de náilon.

Não sei dizer o que Nugent fazia, se bem que em algum lugar dentro da minha cabeça existe a noção de que era um bookmaker, ou secretário de algum bookmaker, que usava um casaco de caxemira cinzento de vez em quando, entrava num carro preto e era levado à pista de corrida. Tudo o que sei é que usava a garagem dos fundos para seu velho calhambeque e nunca se sabia se ele estava lá ou não. Eu achava (se é que achava alguma coisa na época) que Ada deixava ele usar a garagem porque não tinha carro próprio e, naquela época, Charlie não dirigia.

16

Então aqui estão todos, indo à corrida, finalmente. É segunda-feira depois da Páscoa e todos os carros de Dublin estão indo à Feira em comboio, há coletivos alinhados pela rua O'Connell e trens partindo a cada vinte minutos da estação de Broadstone.

Os dias sem graça da Quaresma terminaram, a missão da Legião triunfou, os bordéis foram desbaratados pela polícia, aspergidos com água benta, comprados por Frank Duff e fechados. Uma grande procissão religiosa foi realizada e uma cruz levantada na rua Purdon por ele próprio, que subiu numa mesa de cozinha e bateu o prego com um martelo surpreendentemente grande. Vinte garotas foram decantadas no albergue Sancta Maria e desintoxicadas sob todos os aspectos. Todos tinham rezado dia e noite, noite e dia até se encherem, a cidade inteira estava por aqui com aquilo, tinham aceitado as cinzas, beijado a cruz e sentiam-se verdadeiramente, profundamente, espiritualmente *limpos*: o dia de Páscoa amanhece, damos graças ao Jota, e depois que todos comeram, riram e olharam as flores, vão para a cama e fazem amor (faz um tempão, quarenta dias) e dormem bastante, e aí, na manhã seguinte, saem todos para a corrida.

É a segunda-feira de Páscoa, uma época ainda branda. É o dia em que Cristo diz *"Noli me tangere"* para a mulher no horto. Não me toque. É cedo demais. Cedo demais para ser tocado.

Ah, Nolly May.

Se bem que talvez Ada faça alguma tentativa. Talvez ela esqueça, por um momento, que é Charlie que ela vai amar para todo o sempre e aproveite ao máximo com Nugent. Foi ele que a convidou, afinal; que ficou depois da missa, que mencionou a possibilidade do passeio. Claro que ela iria de qualquer jeito, portanto não é tanto um encontro amoroso que ele está sugerindo, mas uma carona.

— Você falou que gostaria de ir de carro — diz ele, os olhos baixos no caminho entre ambos.

Ela fixa os olhos no mesmo ponto e levanta as sobrancelhas para dizer:

— Posso levar uma amiga?

Então Nugent é o amante nisso tudo, Charlie é o transporte, Ada é o espectro lilith a garota adorável a mulher decaída a triste prostituta e pobre órfã a aposta certa, dependendo do ângulo de que se olha, e junto com ela está Ellen, que é companhia para Charlie e só uma empregada.

Nugent e Ada sentam-se no banco de trás do Morris e a luz do dia combina surpreendentemente bem com ela. Há sangue fresco em suas faces e o cabelo é grosso ao vento, e ele se sente idiotamente à vontade ao lado dela, sente-se como se pudesse apenas falar: o entendimento dela é tão direto. Um homem devia poder falar com uma mulher assim e sentir-se uma pessoa melhor, podia esquecer inteiramente os pensamentos noturnos e os embates de consciência, a ferida exposta de sua alma que se abre, em algum sonho ou divagação, em seu peito.

Foi-se embora, esse estranho fragmento, arrebatado pelo trajeto festivo no carro de capota aberta, um desfile junto com todos os outros carros de Dublin, agora que a Quaresma terminou e é dia de corrida. A mão de Nugent é firme e a garota a seu lado é tão franca e poética como um animal, e ele então está seguro. Com Ada, está seguro.

E assim eles seguem: vão pela rua Navan, passam pelos prédios da Guinness onde Charlie levanta seu chapéu imaginário para dar um viva à cerveja adorável.

— Hu hu — diz ele. — Hu hu.

E estão se divertindo muito, cantando uma canção (qual é mesmo?), "The Harp that Once", "Silent O Moyle", grandes canções para espaços abertos. Charlie soltando a voz em seu bom barítono inglês, olhando para tudo, menos para a rua, de forma que o que Ada vê são suas escápulas, cobertas de gordura e apoiadas no alto do banco à sua frente, o cachecol voando na direção dela que está sentada atrás, as pontas do bigode encerado, revelando por cima do ombro, de vez em quando, alegres pensamentos de virilidade e limpeza que, considerados por mais tempo, produzem uma sensação estimulante na parte interna das coxas.

Mas Ada, temos certeza, não pensa assim. Ada sofreu o bastante com nossas imputações. Ela se volta para Nugent quando ele fala das próximas corridas, dos palpites, e de como é preciso que o Ministério das Finanças tenha uma mão limpa sobre tudo isso, porque todo mundo gosta de arriscar um palpite, é um direito irlandês tanto quanto de qualquer outro cristão.

É surpreendente ouvir ele falar tanto de uma só vez. Ada fica com a sensação de que Nugent fala tudo de uma vez ou não fala nada. É o tipo de homem que as mulheres eram aconselhadas a "evitar" naquela época: trabalho difícil, em outras palavras, e uma presa fantasticamente fácil.

Mas podia ser compaixão tanto quanto qualquer outra coisa, o que a leva a tocar nele, ali no carro de capota aberta. Ou descuido. Ela está apenas tentando chamar sua atenção, mas para quê? Lorde e lady Talbot de Malahide rodando o caminho todo do lado errado da rua, com a mão enluvada do motorista grudada na buzina. Ou alguma coisa mais tranqüila, um cavalo de palha num campo de fazenda, sustentando uma placa que diz: "Bebidas Aqui."

Podia ser uma resposta a algo que ele disse: "Eles já fizeram tamanha confusão com isso", querendo dizer, claro, o governo do Estado Livre; ou um comentário mais íntimo, como: "Eu mesmo estou pouco me importando."

O impulso, de qualquer forma, é de tocar nele.

Como ela vai resolver isso? Vai tocar um dedo no braço dele. Vai apoiar a palma da mão inteira no antebraço dele. Ou, mais tarde, ela pode pegar o cotovelo dele com a curva do pulso e se prender nele enquanto seguem até o parapeito. E o que for que ela faça, vai sentir Nugent se recolher.

Ali está Charlie na sua frente, inclinando-se ao apresentar a boca aberta de um saco de caramelos.

— Ah, confortai-me com maçãs — ele cita, e então lembra de virar-se para oferecer primeiro para Ellen, a empregada amiga, de queixo duplo.

Durante o resto da tarde, Lamb Nugent cuida de Ada, enquanto pelos cantos de sua boca escorre um doloroso suco pelas gotas de maçã de Charlie. Ele aposta um tostão de cada vez com Myrellson da rua Dame, que conhece ele e não se importa. Pride of Arras no páreo das três horas, no qual Ballystockhard corre tudo, Ada dizendo: "Aquele é o meu, é o meu?", e Nugent dizendo: "Não, não é o seu." A tarde inteira ele vê sua sorte escapulir, Street Singer, Con Amore, Daisy's Boss: quem escolhe esses pangarés? Ah, mas eles têm de apoiar o Bean for the Fairyhouse Plate de Ellen, simplesmente não podem se furtar a isso, e, quando o cavalo chega em segundo, Ada tem o bom senso de não perguntar "O que quer dizer 'na cabeça'?". Coolcannon cai na penúltima e com ele todas as esperanças de Charlie, e então Ada finalmente tem sorte com Knocknageena.

Iarruú!

O grupo todo já está, a esse ponto, tão esgotado por toda a agitação e todas as perdas de cada corrida, e pela infindável espera entre uma e outra, que, quando Ada pula e levanta os punhos, não fica nada escondido para nenhum deles. Ela podia ficar daquele jeito, "Ada saltando", congelada na vitória, dos punhos fechados até a ponta dos sapatos bicudos. Quando ela afinal se acalma, está tudo assentado: um daqueles homens quer que ela ganhe, o outro quer que ela perca.

E ela sabe disso.

O cavalo de Ada chegou em primeiro lugar. Mas era apenas um cavalo, não era exatamente culpa dela. Então talvez seja o seu senso de justiça que a faça escolher Charlie, que está feliz por ela, ao contrário de Nugent, que está injuriado com a sua sorte. Mas não há dúvida: a escolha está feita.

Na volta para casa, Ellen canta no banco da frente; os fiapos de sua voz adorável chegando a eles no vento, "When Other Lips", "I Dreamt I Dwelt". Eles entendem completamente uns aos outros, cada pessoa dentro daquele carro. Sentados a pensar o que aquilo tudo quer dizer: Charlie ganhou Ada, Nugent a perdeu. E isso agita neles idéias de outras coisas.

Charlie, por exemplo, está pensando em todas as garotas que levou à margem da ruína antes de deixar cada uma. Ele está se despedindo de tudo, da arrebatadora, espaventada, infinita *tristesse* de uma mulher ou outra, uma ou outra, até que um homem teve de se dirigir a seu membro como se dirigiria a um cachorro babão: "Basta, sir! Basta!"

Ellen está pensando que ela nunca vai se casar.

Nugent está tentando lembrar o sonho da noite passada, certo de que lhe dizia que havia perdido, já, antes mesmo de tentar. Era um sonho sobre sua alma, uma fenda que se abria no peito, porque a alma é feminina, uma garota desabrochando dentro dele, irrompendo, há um buraco vertendo néctar acima do seu coração, que se abre à sua mão, ali, bem ali, um lugar onde estão todas as coisas boas, como esperança, como gentileza amorosa, um lugar onde ele consegue encontrar uma deslumbrante sensação de descanso, e introduzir-se ou ser introduzido, vezes sem conta, sem conta, e descobrir, ao fazê-lo, a própria doçura do êxtase da alma, até despertar horrorizado com seus pensamentos blasfemos e o choque retardado de sua semente apenas despejada, e esperar, no escuro, a matéria esfriar.

Não sei o que Ada estava pensando no carro a caminho de casa. Provavelmente estava fazendo as contas na cabeça, se perguntando por que tinha de se apaixonar por aquele que tinha o bolso furado. Mas mesmo assim ela estende a mão para Charlie e diz: "Obrigada por um passeio adorável."

E para Nugent: "Obrigada por um dia adorável."

Fita Nugent nos olhos. Entende o que vê. E não se importa.

Não sei por que Ada casou com Charlie, se era Nugent que lhe servia melhor. E embora se possa dizer que ela não casou com Nugent porque não gostava dele, isso na verdade não basta. Nós nem sempre gostamos das pessoas que amamos: nem sempre temos essa escolha.

Talvez tenha sido esse o seu erro. Ela achou que podia escolher. Achou que podia casar com alguém de quem gostava e ser feliz com ele, ter filhos felizes. Ela não entendeu que toda escolha é fatal. Para uma mulher como Ada, cada escolha é um erro, assim que a escolha é feita.

17

Um dia, Ada preparou um cesto e nos levou à praia de trem. Ou, melhor dizendo, ela embrulhou uns sanduíches no papel impermeável do pão de forma e colocou dentro da sacola de compras de barbante: ela estava se transformando em alguma coisa saída da BBC ali, por um minuto, descendo uma alameda campestre de saia comprida, com mosquitos e mariposas dançando ao sol em torno do cabelo. Mas não. Embora essa fosse a sensação geral, ou a sensação lembrada, da expedição, Ada não usou saia comprida com mangas bufantes, ela usou um vestido (que emoção, lembrar disso agora), um vestido com estampadinho floral lilás, muito parecido com uma estamparia de penhoar, não fosse pelo exótico fundo muito preto. A gola e os punhos eram debruados com a mesma estampa floral, só que as flores eram azul-água, e isso dava ao vestido uma certa distinção, embora fosse também um vestido florido comum, com uma prega no quadril e uma saia com alguma roda, com ligeiro brilho no algodão, que farfalhava quando ela se mexia.

Sentamos no trem ao lado dela até Donabate, que fica junto ao mar, e brincamos com a cortina de couro da janela de cima, empurramos a porta para olhar o comprido corredor e depois puxamos para fechar de novo. Passamos por Hill of Howth e seguimos para Malahide; o trem correu pela planície arenosa de North County Dublin, que todos os Hegarty sabiam que queria dizer "feira de jardinagem", assim como Navan era "tapetes" e Newbridge "cordas e cutelaria". Olhamos pela janela, imaginando como seria uma "feira de jardinagem" se a gente passasse por ela, e brincamos nos bancos, e fomos, acho, inteiramente felizes.

Estávamos indo para um lugar chamado St. Ita e depois íamos para a praia. Esse primeiro destino era esquisito. Tínhamos uma irmã Ita que era, até então, a menos amada entre nós, como talvez todas as meninas fossem, no momento em que os seios começavam a crescer.

St. Ita foi uma freira irlandesa muito antiga que, por amor ao menino Jesus, rezou pelo dom de amamentar: e "o leite desceu". Então não era para um lugar que nós estávamos viajando aquele dia, no trem, mas para alguma confusa idéia de "amamentação", fosse lá o que fosse que isso queria dizer para mim aos oito anos de idade: uma mulher curando com ternura a boca de um bebê, ou uma enfermeira sorrindo e servindo, alguma coisa estranha e adorável por trás do relógio pendurado e do algodão branco de seu peito. Era para a brancura que estávamos viajando, clíquete-cláquete. E é de uma brancura que me lembro, quando finalmente chegamos, um céu branco queimando, que se encontrava, no fim da chama branca, com um distante mar cinzento.

Esse tempo todo, eu sentada no vagão ao lado da saia florida de Ada, puxando uma fieira de contas plásticas de dentro de meus lábios fechados, talvez, ou colocando para dentro de novo. Deve ter durado quarenta minutos, no máximo, essa fantástica, interminável viagem de trem. Kitty e eu em vestidos de algodão listrados de cores diferentes, rosa para ela e verde para mim, e Liam, como os meninos sempre estavam, em tons de azul-marinho e cinza. Lá fomos nós, sacudindo gostosamente nos bancos de molas, todos juntos, como atores num palco. Depois, descer na estação! O vapor chia e Ada está de novo com suas mangas bufantes, quando subimos a escada para a aldeiazinha e a ponte em corcova da qual se pode olhar os trilhos cortando para o norte até Rush e Lusk. Há uma loja de picolés e dá para sentir o cheiro do mar, mas Ada tem mais o que fazer e ficamos parados num ponto de ônibus à espera de um estranho que estaciona um carro verde-hortelã e subimos todos atrás. "Estão indo para o hospital?", diz o homem à direção, e Ada responde: "St. Ita, isso" com uma longa exalação. O estranho deixa essa palavra baixar, pesada, ao nosso lado no carro. Ele diz que não vai até os portões; mas nos deixa bem pertinho. É costume dele, evidentemente, pegar gente naquele ponto de ônibus, e eu entendo pelo jeito de ele dizer "hospital" que St. Ita não é um hospital. Se estivéssemos indo a um hospital, então Ada teria dito isso.

Há uma menina sentada no banco da frente, de uns cinco anos de idade. Tem olhos fantasticamente redondos, sem sapatos e sem camiseta, e está sentada, feliz da vida ao lado do pai no banco da frente. Nós olhamos uns para os outros quando o carro pára e ela continua olhando quando descemos, como se fosse gostar de descer conosco também, apesar de toda a sorte que tem. E uma parte de mim vai embora com ela quando o carro se afasta.

Uma outra parte de mim ainda está, depois de todos estes anos, andando pela estrada onde o estranho nos deixou. É uma estrada reta e comprida, uma estrada rural; embora tenha uma boa calçada cimentada de um lado. E é por essa calçada que caminhamos, as três crianças e a mulher com a sua sacola de barbante. Há uma fossa ao longo da calçada e depois disso um grande e oscilante campo de trigo. Do outro lado da estrada, há uma fileira de maravilhosas árvores devastadas, e um trecho baixo de pântano. Ao longo do caminho do nosso lado, há um bangalô no meio da plantação, e esperamos para ver se há uma trilha até ele, ou se foi inteiramente abandonado no meio do campo de trigo.

À nossa frente, lá longe — e essa era a estrada mais comprida e mais reta em que eu já havia estado nos meus oito anos de vida —, há um homem com dois bastões, e ele se arrasta pela estrada, um ombro subindo numa corcova sobre a ponta do bastão, depois o outro, as pernas num movimento curiosamente contrário, ou posterior a esse ritmo, como se ele estivesse usando os bastões só para se mostrar. É um homem baixo e muito atarracado. Ele gira a mão pelo pulso, quando o ombro em corcova desce e o bastão treme um pouco quando muda o peso para o outro lado. Corcova mudança tremor passo. Corcova mudança oscilação passo. Não há nada de errado com as pernas dele, pelo que vejo, só são lentas, e a estrada é muito comprida. Corcova, mudança, guinada, passo. Ombro, mão, e talvez sim, perna. E nós devíamos estar alcançando o homem, mas a estrada é muito longa e Ada se atrasa por causa de uma ou outra de nós, crianças, até que, com a distância e a excitação do dia, acho que há alguma outra coisa errada com o homem dos dois bastões, alguma coisa que não sabemos, até passar por ele, uma deformação do rosto, ou uma expressão que não conseguimos ainda ver. Estamos mais perto, mas ainda não chegamos nele, e ele vai ganhando vantagem, cobrindo mais terreno do que seria de imaginar para um homem com duas pernas ruins, e poderíamos ter passado mesmo por ele, só que Kitty escorregou na estrada, ou Ada se deteve pelas mudanças e manipulações exigidas pela sacola de barbante, que contém não apenas sanduíches de ovo em papel impermeável, mas também alguma outra coisa. Há outros pacotes pequenos ali dentro, que são bons demais para o nosso piquenique, pacotes de velha, feitos com papel de embrulho e fita colante, um deles parece uma caixa de chocolates After Eight, e um é muito disforme e podia ser qualquer coisa. E Ada os colocou dentro da sacola de barbante num saco plástico separado com um nome escrito com esferográfica do lado de fora. Ela está indo visitar alguém no hospital e depois vamos à praia. E é claro que eu sabia disso o tempo todo: estamos indo visitar meu tio Brendan, embora, por ter oito anos de idade, eu não entenda que meu tio é necessariamente filho de Ada ou então não sei o que isso quer dizer, "filho". Mas com certeza eu sabia disso o tempo todo, que estávamos indo visitar tio Brendan no St. Ita, que não é bem um hospital, e que depois disso nós vamos chapinhar no mar.

Liam, principalmente, é travesso e solitário, quer andar do outro lado e olhar o campo baixo que se transforma num pântano, mas Ada não deixa, ele tem de ficar na calçada, porque é para isso que ela serve e o que diria a nossa mãe se Ada o levasse de volta todo arrebentado por algum carro? E à menção de nossa mãe tudo fica um pouco pior, porque o que é Liam para mim senão um "irmão", e o que é ele para mamãe senão seu "filho", e quando eu procuro o dois-bastões ele sumiu e nós passamos por uma longa abertura no campo de trigo, se é que havia uma longa abertura no trigo, e o bangalô veleja no meio da plantação atrás de nós, imerso até as amuradas em marrom dourado.

Não me lembro do hospital. Meu palpite é que Ada não nos levou lá dentro. Havia uma quadra de handebol no hospital e ela nos deixou ali, brincamos entre as paredes de concreto. Na subida atrás da alameda havia uma torre redonda, como a torre redonda irlandesa da capa dos nossos cadernos e do lado havia um imenso vaso de pedra, de uns trinta metros de altura, e uma torre de caixa d'água e os dois vigiavam a encosta como uma mulher gorda e um homem magro, olhando ao longe sobre o mar. Lá estava ele, encosta abaixo. Um mar forte, debaixo de um céu branco e duro. E nós podíamos ter corrido lá para baixo, mas Ada tinha nos mandado ficar ali, e assim brincamos um pouco na quadra de handebol, sem fazer nada, só gostando de seu formato e ficando por lá; a parede dos fundos e as duas paredes laterais inclinadas, como se fosse uma caixa de sapatos com uma ponta cortada. De um lado ficavam a torre redonda e a torre d'água, e do outro uma parede de tijolo vermelho. Para essa parede nós não olhamos, nem para as janelas de caixilho sujo sem barras, onde ficavam os loucos, e não pensamos no que os loucos faziam quando viam crianças: comiam elas, pensei, chupavam pela orelha e falavam besteira, então brincamos de ser Bons Meninos para os lunáticos que olhavam até Ada voltar com a sacola de barbante meio vazia, profundamente satisfeita, para nos ver brincar ali.

— Venham — deve ter dito, e não contamos a ela do louco que vimos andando no caminho do mar, lerdo, idiota, sujo e terrível, que olhou bem para nós quando passou cambaleando.

Depois disso, deve ter havido o mar. Ada nos levando para tomar limonada cor-de-rosa num pub, que tinha o telhado preto com imensas letras brancas escritas em cima. Nós devemos ter tomado o ônibus de volta no portão do hospital e embarcado no trem de volta para casa.

18

Foi por volta dessa época que Liam começou a ter medo durante a noite e, embora Kitty é que devesse dormir na cama de casal junto comigo, ele vinha de noite se enfiar entre nós, e empurrava com o cotovelo e cochichava para ela ir para a cama de onde ele havia saído. Kitty ficava tão vitoriana com a camisola, os calcanhares e tornozelos brancos nas tábuas do chão, o cabelo emaranhado acima de um rosto inchado de sono; eu quase sentia falta dela, da tranqüilizadora quietude de sua respiração no travesseiro ao lado, ocupado agora pelo rosto de Liam, os olhos piscando, grandes, as mãos agitadas debaixo das cobertas enquanto ele tentava arrumar um lugar ali. Ele nunca ficava quieto. Deitava afundado fora do travesseiro e olhava para mim, ou subia de volta para a cabeceira, se agitava, se retorcia, ou congelava, apavorado: havia uma cara na janela, ou imagine se existisse um vulcão debaixo de Dublin, ou se você caísse dentro de um buraco e ficasse com a boca cheia de vermes. Tudo isso ele falava com grande prazer e, embora tudo o que dizia fosse terrível, me lembro dessas noites como noites felizes, conversando até o amanhecer. Ele devia ser menor do que eu na época, porque sempre acabava rolando para a linha onde o meu corpo encontrava o colchão e eu tinha de acordar para empurrá-lo de volta.

Sobre o que nós conversávamos? Eu queria saber. Na nossa adolescência, escrevíamos cartas matreiras e "hilariantes" um para o outro, cada vez que nos separávamos, no verão em que ele foi para Gaeltacht, ou quando eu viajei num intercâmbio para a França.

"Enquanto isso", ele escreve de Gweedore, no ano em que completou catorze anos, "ficamos com a bunda dormente de sentar na praia sem beber vodca, ou 'bhodhca', como eles dizem aqui. Billy Tobin foi mandado de volta por falar inglês, de forma que Michael e eu inventamos um jeito de falar inglês <u>como se</u>

fosse irlandês de verdade, o que é muito divertido e não muito compreensível. *Iubhsaid try it iurselbh some time.**

Era ele quem falava mais, porém eu não me importava. Queria poder lembrar o que exatamente ele dizia, mas as conversas não perduram nas minhas lembranças de Liam. Nós nunca sentávamos um na frente do outro em cadeiras de verdade, numa casa, num restaurante ou bar. Conversávamos como irmão e irmã conversam, olhando para o outro lado, ou sentávamos no chão, fumando, encostados na mesma parede, e conversávamos incidentalmente olhando as pessoas passarem, pensando em outras coisas. Conversávamos muito no escuro, num arranjo diferente: lado a lado na cama de casal de Ada, cabeça com pés, uma ou duas vezes em casa, ou perpendiculares no quarto dele em Stoke Newington, com duas camas com as cabeceiras viradas para o mesmo canto da parede. Eu via a área amarela em volta da boca dele quando o cigarro estalava e rebrilhava, depois a pontinha vermelha voava num arco, como se jogada fora. Me deixava ligeiramente enjoada estar sempre pulando para pegar e ao mesmo tempo não sair do lugar. Tenho muito medo de fogo. Era verão e às vezes ainda estávamos conversando quando o sol saía, mas não faço idéia sobre o que eram essas conversas. Ponho uma frase no ar do quarto, como "Joan Armatrading", e penso, *Nunca falaríamos sobre ela*. Acho que falávamos de família, embora houvesse uma privacidade nessas coisas também. O que mais: de mecânica quântica?

Falávamos de tudo e qualquer coisa, talvez, e quando desci com a mala batendo nos degraus da casa dele em Stoke Newington eu sabia que nunca mais teria essas conversas sobre *qualquer coisa* e *tudo*.

Foi o meu segundo verão em Londres. Liam tinha acabado de perder os exames finais e eu estava ganhando dinheiro para o meu último ano, como temporária em Elephant and Castle. Ele havia encontrado aquele lugar para ficar, uma casa de três andares em cima de um porão, que não pertencia realmente a ninguém. Havia um cheirinho forte na sala de estar, uma mistura de PVC, xixi e sardinhas; por fim localizado nas tomadas que soltavam faíscas e explodiam qualquer coisa que fosse ligada nelas. O plás-

---

* Você devia experimentar algum dia. (N. do T.)

tico branco ficava manchado de ondas de fumaça preta e quando você espiava e cheirava para ver, o carpete deixava marcas ovais de umidade nos joelhos. Não me lembro de fato das camas nas quais, quarto por quarto, cada morador fazia sexo de pobre, os corpos largados depois em pictórico abandono nas ondas e dobras dos lençóis cinzentos. Éramos jovens, e acho possível que fôssemos bonitos, embora a garota miserável com luvas arrastão simplesmente pegasse no pé de todo mundo, e o cara australiano tinha só de perder o bronzeado ou calar a boca e se mandar, cada um deles, conforme os vejo agora, impossíveis de adoráveis, os ossinhos duros dos ombros brancos dela se encolhendo e afundando quando tragava os seus Gitanes: ele, nu até a cintura na cozinha, o pelame central do peito fazia uma pausa no umbigo antes de correr, numa confusão de pêlos loiros, para dentro de seu alegre short australiano. Esses eram os diletantes, claro, os turistas como eu, que não se debatiam, nem urravam, nem davam socos, que não atiravam pacotes de merda com estilingue pelas janelas no meio da noite, porque se esqueciam por um momento de onde estavam. Havia um traficante no porão, mas poucas drogas na casa, ou talvez simplesmente não oferecessem drogas para mim (alguma coisa a ver com meu cabelo cor de areia, o rosto estreito, que, mesmo na época, mostrava que eu estava fora daquele circuito em particular). Ninguém tentou trepar muito comigo também, se bem que uma noite eu e o australiano nos juntamos, só porque a gente podia.

Penso nesse encontro de tempos em tempos, quando, por exemplo, resolvo que eu devia simplesmente sair por aí e "fazer", me lembro daquilo como alguém se lembra de uma cena de filme, os corpos se mexendo juntos na luz da tarde, membros dobrados em ângulos lentos, línguas se arqueando. Isso apesar do fato de que aconteceu, disso tenho certeza, no escuro, depois de vinho ruim e à luz de velas, no jardinzinho cheio de mato dos fundos. Alguma coisa a respeito desse acontecimento, mesmo na época, indicava que ele fora vivenciado quase inteiramente de fora; meu jovem corpo, o jovem corpo dele, todas as posturas e movimentos e, acima de nós, meu olhar pairando, talvez mesmo o olhar dele pairando, ou ambos em conjunto. Tão lindamente, limpamente pornográficos nós éramos, e tão amigos, era igualzinho a dançar, e eu não sentia nada mais do que uma dançarina podia sentir, a não ser por um punhadinho de sentimento onde eu me agarrava ao australiano, ansiosa por conseguirmos fazer com que aquela cena, com todas as cuidadosas variações, durasse um certo tempo.

Nos separamos com um sorriso tão bom quanto um aperto de mão e voltamos para nossas próprias camas, deitamos. Aquilo ficou comigo durante um dia, talvez dois; a liberdade e o caos de trepar com qualquer um que chamasse sua atenção, a clareza daquilo, até que de repente eu estava prostrada e sem fala de amor pelo australiano, deitada ali o tempo todo, escutando a casa, os passos por dentro dela, as vozes e sussurros; vasculhando quando subiam e baixavam em busca do neutro gorjeio da voz dele. Percebi também que não estava apaixonada por ele, que eu tinha de amar cada homem com quem eu fosse para a cama para não odiar a mim mesma, e a esqualidez da casa ficou, de repente, insuportável para mim, a umidade e o mofo, as brigas pelos flocos de milho roubados, a lenta distância entre Liam e a garota do arrastão, a angústia acumulada no quarto ao lado e o traficante do porão recebendo chupadas como se fosse um bordel de um homem só, com mais outra garota sempre tremendo na escada diante da porta dele.

E ainda assim eu ficava lá, na confusão dos lençóis de qualquer um, à espera de o australiano bater na porta, ou de o tempo mudar; esperando por alguma marcha distante engatar e fazer minha vida seguir em frente. Eu acredito, agora, que podia ter me perdido naquele momento. Não que eu esteja, nos dias de hoje, de forma alguma *encontrada*, mas acho que, se minha vida tivesse empacado lá, eu teria me perdido de uma forma mais desastrosa.

O quarto era oficialmente de Liam, portanto uma das coisas que eu olhava naqueles dois ou três dias em que não comi, não conseguia pensar e só me mexia no meio da noite era a cama dele, em ângulo reto com a minha; um cobertor de lã que estava amarelando, com uma larga listra rosada no alto. Liam sempre estava misteriosamente em algum outro lugar: talvez um efeito de nossa estada com Ada, quer dizer, se ele arranjava uma casa, era apenas, sempre, para ir embora dela. Não sei como eu não me importava: tinha ciúmes da liberdade dele, por certo, mas acho que eu entendia, mesmo na época, que o lugar para onde ele ia era sempre menos interessante do que o lugar que tinha deixado, ou mais terrível. Liam tendia para o tédio e o declínio; era vago demais e tinha uma inquietude de fazer de si mesmo um objeto trágico, mesmo naquela época.

Sinto vontade de dizer que eu era classe média demais para Stoke Newington, dentro das infinitas gradações dessas coisas, mas isso não é bem verdade. Não. Eu fechava as pálpebras sobre o quarto e, quando abria de novo, esperava que tivesse desaparecido, só isso: as guirlandas amarronzadas ondulando no papel de parede, os pequenos rodapés azul-turquesa, o chão nu com um tapete feito de um pedaço cortado de carpete cru. Quando abria os olhos, eu queria que o quarto tivesse sumido, ou sido esvaziado, a casa vazia, os moradores mortos, o belo e tedioso australiano transformado em pó (ou "Greg", como era chamado). Queria que Liam se levantasse de sua pilha de lençóis e dissesse: "Nossa, Vee, vamos tomar um café. Vamos voltar para casa."

Isso, mesmo eu sabendo que Liam nunca voltaria para casa agora, nem para aquela cama, nem para a cama em Griffith Way, nem para qualquer outra cama feita para ele mesmo, com os travesseiros afofados e o lençol de cima com a ponta dobrada.

Ele brigava com as pessoas também, e ali em Stoke Newington isso me incomodou pela primeira vez. Havia um problema com o aluguel: ele colocara o envelope debaixo da porta, disse, era um envelope branco, comprido, com o nome do sujeito escrito com *esferográfica vermelha*. Quando Liam entrava em detalhes, eu sabia que ele estava mentindo, também que estava começando a convencer a si mesmo: ele era capaz de ver a esferográfica e lembrar de ter escrito com ela, já que se lembrava que era vermelha. Essas altercações sem sentido apenas levavam a mais confusão e queixas: Liam chutado para fora desta ou de outra porta às quatro da manhã ou às duas da tarde com um "Ah, puta que o pariu. Qual é!".

Ele nunca brigava comigo. Eu era a irmã dele. Estava do seu lado.

Mas devia achar que o australiano era um truque bem barato e eu sabia disso também, deitada, rígida, no quarto que era de nós dois, durante três dias de que não consigo lembrar, até que me levantei, embalei minhas coisas e desci aos trancos a mala pela escada.

Digo que não saí do quarto por três dias, mas decerto tinha de beber às vezes, ou ir à toalete. Havia um problema com portas na casa: as pessoas estavam sempre colocando trancas nas portas e as trancas eram sempre arrombadas, de forma que a porta do nosso quarto, conforme tenho na lembrança, ficava abrindo um pouco e essa abertura é que me atormentava enquanto eu estava deitada na cama, o fato de que, quando abrisse os olhos, ainda estaria lá.

Larguei Liam com a abertura da porta e o que quer que existisse do outro lado. Às vezes tediosa e horrível; a Morte, essa violadora, que entra e circula e não diz o que quer até tomar para si. E queria me lembrar o que foi que me fez sentar na cama, jogar as minhas coisas dentro da mala e sair: suponho que um canto de pássaro ao longe; a sensação de alguém me chamando em casa, mas a única pessoa que podia me chamar era Liam e ele não estava em lugar nenhum.

A mala era azul força-aérea, dura, com os cantos arredondados. Era de minha amiga de faculdade Deirdre Moloney, aquela cuja mãe iria expulsá-la três meses antes dos exames finais. A essa altura ela ainda vivia uma vida bonitinha, onde coisas como malas e, digamos, botas de caminhada estavam sempre à mão. Então foi uma mala de aeromoça que levei escada abaixo, igual a uma aeromoça, cheia de roupas sujas e tubos de gel espermicida espremidos; e no meio de tudo aquilo, a pequena e turva garrafa de gim quase vazia, chacoalhando.

Bump bum bumpeti bump.

Liam estava em alguma outra casa, igual a essa ou pior, e não estava curtindo muito sexo, ou drogas, ou conversações profundas, do além. Ele era simplesmente o cara que vai ficando, aquele que não vai embora. Era o cara em quem não se podia confiar, o bagunceiro. "Mick", o chamavam. "Oi, Mick!", ou o macio "Alô, irlandês!" dos rastafáris.

Enquanto isso, eu queria tomar uma ducha. Queria ser uma garota. Queria fazer sexo que significasse alguma coisa. Queria uma nota B no meu diploma de artes. Havia um caminho, eu pensava (eu realmente acreditava que tinha de haver um caminho), Liam havia se desviado dele, e eu não ia me desviar também para cuidar dele, não dessa vez.

19

Não era a primeira vez que eu deixava meu irmão, e não seria a última. Em seus últimos anos, anos de bebedeiras, eu o deixava cada vez que ele chegava. Mas, mesmo antes de ele se apegar à garrafa, houve vezes em que tive de simplesmente girar os olhos e ir embora.

O problema com Liam nunca era uma coisa grande. O problema com Liam era sempre com pequenas coisas. Ele tinha cigarro, mas não tinha fósforo, será que eu tinha fósforo? Tinha, mas o fósforo quebra, o fósforo não risca, ele não consegue acender essas porcarias de fósforos albaneses baratos. Eu tinha um isqueiro? Porra, ele derrubou os fósforos. Por que eu não tinha isqueiro? Ele vai procurar um isqueiro, sacudindo todas as gavetas da cozinha. Sai, deixa a porta aberta. Entra pela frente vinte minutos depois com um isqueiro que achou na rua, caído bem ali na frente da casa, para falar a verdade, só que está molhado. Ele acende o forno com o piloto, acende o cigarro no forno, queima a mão e, depois de ficar um tempo com a mão debaixo da torneira, fuça no armário em busca de uma forma de assar, coloca o isqueiro, um isqueiro barato, de plástico, ele coloca dentro do forno e quando grito com ele, ele grita de volta e sai uma briga por causa da porta do forno. Depois há uma hora de mau humor porque eu não confio que ele saiba secar um isqueiro no forno sem explodir a casa. E depois do mau humor vem A Discussão.

Liam é esperto.

Não. Liam está morto.

Liam *era* esperto, eu devia dizer.

Bom. Para alguém que vivia fazendo besteiras quase todo o tempo, meu irmão era muito astuto. E era astuto sobre a vida das pessoas, suas fraquezas e esperanças, as pequenas mentiras que contavam a si mesmas sobre por que deviam levantar da cama de manhã. Esse era o grande talento de Liam: expor a mentira.

A bebida o deixava perverso, mas mesmo sóbrio ele era capaz de farejar o que acontecia numa sala, juro mesmo. Quando o pai de Tom morreu, ele não fazia outra coisa senão falar sobre podridão. Eu vi a cara de Tom olhando para ele completamente sem expressão, enquanto Liam resmungava sobre o tempo que levava para um corpo se desintegrar hoje em dia, porque todo mundo estava tão cheio de aditivos e conservantes. O negócio é que eu nem tenho certeza se havia contado para ele que meu sogro havia morrido, ele simplesmente pegou no ar. Liam podia ser um ser humano absolutamente chocante, mas era difícil dizer o que exatamente ele fazia para levar você a se sentir tão fora de centro.

— O que era essa história toda? — Tom perguntou quando ele foi embora, fingindo não ter entendido nenhuma palavra, porque o jeito como Liam funcionava melhor era subjacente. Acho que era uma coisa que ele não conseguia controlar. Era como um contágio, ele simplesmente tinha uma mente contagiosa.

E depois, tomava uns drinques.

— Verrugas genitais — ele disse com um sorriso perverso, no limpo ar da sala de estar de nossa família, discorrendo com muita graça sobre a maneira como isolaram uma cepa específica delas ao rastrear uma série de infidelidades no Hampstead Royal Free. — Nós chamamos de verrugas livres — ele disse, seguido de gracinhas de banheiro e esposas de clientes chocadas. Também gente trepando com pacientes em coma, claro, ou simplesmente acordando com esperma no cabelo e, poxa!, Liam, você deixa todo mundo tão animado, você é ótima companhia.

Sóbrio, ele perdia ônibus, esquecia de fazer baldeação, perdia coisas ou roubava coisas. Embora Liam não roubasse propriamente, para ele era um problema intelectual, ele simplesmente não conseguia entender por que você tinha alguma coisa e ele não, e a única solução era ir atrás daquilo, por mais idiota que fosse a coisa. Às vezes dinheiro, certamente de mim, e provavelmente de Kitty, embora seja uma coisa que nenhuma de nós duas jamais discutiria, mas também coisas esquisitas. Ele tirou um telefone da parede da minha cozinha em 1989, embora, ou possivelmente porque, eu fosse pôr a casa para alugar. Mesmo sabendo, e isso era a coisa mais idiota, que telefones irlandeses não conectam com a British Telecom. Liam, claro, devia "conhecer alguém" que podia adaptar o telefone, e assim a porcaria da coisa ficou jogava no conjugado dele com os fios pendurados durante sabe Deus quanto tempo. Tudo o que sei é que quando telefonei durante os seis meses seguintes, ninguém atendeu telefone irlandês, nem britânico, nem qualquer outro. Sei também que ele tirou o telefone porque sentiu que ia desaparecer durante um tempo, e queria levar alguma coisa minha com ele, quando fosse hora de ir embora. Ele queria manter a ligação.

Então eu o deixava e ele me deixava. O que mais irmãos têm de fazer? A primeira vez foi quando fomos para o St. Dympna, em Broadstone. Ele entrou por uma porta, eu entrei por outra e, embora a gente continuasse a dormir na mesma cama de noite, durante o dia ele era um rapaz e eu era uma garota, e ele não podia ser visto conversando comigo no pátio da escola. Então de quem era a culpa disso?

Foi em 1967, no ano em que eu fiquei mais alta que Liam e continuei assim para sempre. Além da grande aventura da garagem de ônibus, não acontecia muita coisa em Broadstone. A gente vagava pela rua; duas crianças pequenas de cabelos pretos com olhos azul-gelo e a magricela com cabelo cor de areia que era eu: foi nesse ano que eu fiquei descontente com meu cabelo, oleoso e mal lavado. Havia outros inconvenientes da adolescência. Eu mergulhava a cara na pia do andar de cima para ver como era se suicidar, ou costurava as pontas dos dedos com uma agulha de Ada, enquanto Liam brincava com os cigarros dela. Embora eu ache que isso tudo aconteceu depois, na primavera surpreendente, quando ainda não tínhamos ido para casa.

Eram para ser apenas umas férias de verão. Um dia, a estrada estava cheia de crianças e no dia seguinte todas haviam sumido, e nós compreendemos, eu, Liam e Kitty, que a escola havia começado sem nós. Tinham nos deixado para trás. Andávamos pelas ruas, passávamos por casas tornadas íntimas pelo silêncio. Parecia que podíamos ir para qualquer parte. Mas preferíamos ir para a casa de nossa avó e sentar um pouco.

Havia conversas esporádicas sobre o que fazer conosco. Ada mencionaria isso a uma vizinha na porta de entrada. "Conhece alguém no St. Dympna?" Eu e Kitty por fim seguindo atrás dela até a freira que ia arrumar lugar para nós; irmã Benedict, uma mulher passional, de olhos pretos, que nos beijou com ímpeto e apertou nossas caras de crianças uma depois da outra contra o peito, nos acariciando e conversando com Ada, enquanto ouvíamos o zunido de sua voz e o incrível bater de seu coração.

Com a cabeça baixa, fiquei fixando as contas do rosário dela, que pendiam até o chão, e a largueza dos dedos de seus pés, espalhados nas sandálias de monja por baixo do hábito.

Ela me empurrou, se ajoelhou na minha frente e segurou minha cabeça com as mãos grandes. Ela na verdade pôs as mãos em cima das minhas orelhas, de forma que era outra vez o eco do corpo dela que eu ouvia quando disse que eu era uma menina bonita e que a escola ia ficar muito, muito contente de me receber. Eu ficaria na classe dela mesma, disse, e seria um dos soldadinhos de Deus, e é assim que me lembro da minha época com Benedict, como uma época de marchas, com as nossas carteiras enfileiradas: Jesus em nossos corações, Maria olhando por cima de um ombro, nosso Anjo da Guarda do outro; Deus olhando lá de cima, enquanto o Espírito Santo mergulhava em cima do repartido do cabelo da gente e ali explodia numa língua de fogo inofensiva. E não havia em parte alguma lugar para o Diabo, que era uma sombra escura por cima do ombro esquerdo da gente, logo acima do revirar do olho.

A melhor coisa de Benedict era seu nome. Ela o havia escolhido, contou, por causa do monge que foi alimentado por um corvo no deserto, porque quando ela era pequena havia mofo cinzento e bichos no pão. A escola tinha o nome de Dympna, uma antiga princesa irlandesa que se recusou a casar com o próprio pai. Quando a mãe dela, a rainha, morreu, o pai de Dympna procurou no reino inteiro, mas não conseguiu encontrar uma noiva. Então pousou os olhos sobre a própria filha. Dympna fugiu com seu padre confessor até a Bélgica, onde o pai dela, o rei, a alcançou e cortou fora sua cabeça. Que história fantástica. Santa Dympna, padroeira dos loucos, irmã Benedict disse, porque o pai dela era louco de querer casar com ela. Claro.

Meu nome, Veronica — uma coisa bem feiosa que eu sempre achei que soasse como o ungüento ou a doença —, era um dos grandes favoritos dela. Santa Verônica enxugou o rosto de Cristo a caminho do Calvário e Ele deixou Seu rosto na toalhinha. Ou a imagem de Seu rosto. Foi a primeiríssima fotografia, ela disse.

Fiquei gostando bastante dela: uma figura que se destacava da multidão, ao mesmo tempo suplicante e terna. Ainda penso nela sempre que trazem toalhas úmidas em restaurantes chineses e em aviões antiquados. Perdemos a arte da ternura pública, esses pequenos gestos de esfregar e lavar; esquecemos o quanto é abjeta a forma como o corpo recebe um toque formal. Eu achava que meu destino estava ligado ao da Verônica, de alguma forma. Talvez eu viesse a ser fotógrafa. Talvez chegasse um momento em que eu ia me destacar da multidão e depois voltar, nada mais. Achei que podia me tornar uma limpadora de coisas quando crescesse: sangue, lágrimas, essas coisas todas.

Eu confundia Verônica com a mulher sangrando do evangelho, aquela para quem Cristo disse: "Alguém me tocou", e confundia também com a mulher a quem Ele disse *"Noli me tangere"*, coisa que aconteceu depois da ressurreição. "Não me toque."

Por que não?

Por que ela não podia tocá-Lo? Tomé O tocou. Tomé foi convidado a colocar as mãos dentro de Suas feridas. Essas coisas eram muito importantes para mim, aos oito anos de idade.

Durante algum tempo, eu praticava com minhas próprias feridas e casquinhas, e me assombrava, todas as vezes, com o brilho do vermelho no papel higiênico branco que eu usava em vez das toalhinhas de bandeja de Ada. Crianças não entendem dor; elas fazem experiências com a dor, mas pode-se quase dizer que não sentem, ou não sabem como sentir dor, até crescerem. E, mesmo então, parece que sempre sentimos dor pela coisa errada. Ou pelo menos tem sido assim comigo.

Eu não sou Verônica. Embora tenha tido a minha cota de *choro*, em minha época, e seja verdade que sinto atração por pessoas que sofrem, ou por homens que sofrem, meu marido sofredor, meu irmão sofredor, a figura sofredora do sr. Nugent. Infelizmente, é verdade que a felicidade, num homem, não exerce atração sobre mim.

Me lembro de uma tarde lenta com a cesta de costura de Ada, tentando fazer acupuntura na minha coxa, experimentando a profundidade a que iam as agulhas através da gordura, da carne até a cartilagem ou o osso, talvez haja um tendão aqui, e não consigo me interessar por o que fica onde. Não consigo me interessar por médicos, nem por pedaços, nem por cartilagens, me dê uma anestesia geral, eu digo, me dê agora, *antes* que alguma coisa saia errado, me lembro também de uma noite com Michael Weiss, eu cortando a parte interna da minha perna, com uma esferográfica, imagine, e depois passando a faca de cozinha dele pelas ineficientes linhas azuis. E me lembro da frieza do corte.

E um pouco depois.

E um pouco depois, o mundo distante veio se infiltrando, escorrendo pelas bordas, grosso e vermelho; subindo para encontrar e inundar a fenda, depois transbordando devagar pelo lábio de carne, com uma deliciosa, ingurgitada gota. O mundo inteiro voltou, sangrando, um mundo que consistia primeiro de Michael Weiss, ou pelo menos da voz dele, dizendo *Você podia, podia, por favor, podia, porra, simplesmente parar!*

Tamanha aversão. Tão completa e absoluta aversão. *Está contente agora?* O bom, delicado, humano Michael Weiss.

Aveia, creme, arenito, ardósia.

Nenhum sangue nisso. Não há sangue nesta casa. Mas eu estou ligeiramente interessada, pode-se dizer. Ligeiramente interessada no rosto sangrando de Cristo e na mulher que pode ter existido, mas que certamente não se chamava Verônica, que limpou o sangue e com o sangue um pouco da dor.

Não vou mais à missa, e passei um pouco disso para meus filhos, embora Rebecca, aos oito anos, esteja atravessando uma fase religiosa, provavelmente para me contrariar. Elas são surpreendentemente altas, as meninas de oito anos. Surpreendentemente gente de verdade. Claro que seus bebês são sempre reais para você, estão sempre lá desde o comecinho, mas mesmo filhos de estranhos parecem gente de verdade aos oito anos, e, como se ela compreendesse isso, minha filha de oito anos, voltou sua nova, inteiramente humana face, para Deus.

Liam gostava de santa Catarina de Siena, a lambedora de feridas. Gostava também de três santos romanos com nomes engraçados que foram virados de cabeça para baixo e entupiram seus narizes com leite e mostarda, o que, ao que parece, os matou. Isso não parecia incomodar Kitty, pelo que me lembro.

20

Enquanto escrevo, olho pela janela para conferir o morto que tenho sentado dentro do Saab no portão da frente. Ele está sempre lá (é sempre um ele), uma figura largada no banco da frente que se revela, num melhor exame, apenas o encosto de cabeça inclinado. Mas, mesmo sabendo disso, sou atraída para essa cara estofada, sem expressão, e me pergunto por que ele tem de ser sempre tão paciente. Ele deixa o olhar pousado incessantemente no painel, como um homem que ouve o rádio ou que não quer entrar na casa. Um indício da solidão dos homens, de sua teimosia. Ele não entra na casa, o corpo dentro do meu carro, o manequim de colisão no banco da frente. Está esperando os últimos resultados do futebol.

Na verdade, eu não o quero dentro de casa, mas isso não quer dizer que fico feliz de vê-lo sempre dentro do meu carro, esse homem que fala comigo, bem francamente, de paciência e da habilidade de suportar. E da possibilidade de as pessoas não se importarem muito umas com as outras, não de verdade, que o que elas mais querem na vida é *diversão*.

Posso ficar acordada com ele ou subir e ir dormir com meu marido.

A noite inteira é um tempo muito longo.

Estou nos horrores. Começou em algum momento depois do enterro, uma semana talvez, depois que Tom tentou me ressuscitar deitando de comprido em cima de meu corpo, beijando, acariciando e todo o resto. Mas eu já havia superado isso, tinha esquecido isso. Estava de volta aos trajetos até a escola, passar o aspirador e telefonar para outras-mães para conversar de assuntos de outras-mães, como datas de jogos, e onde comprar os sapatos de dança irlandesa para Rebecca. Estava tudo triste, mas bem: comida boa, ar puro, alguns copos de vinho a mais, e para a cama. E então.

Lá vem: o despertar das quatro da manhã. Ele se insinua para dentro de mim e acordo para a lenta, matreira, gritante aflição. O que é isso? *Ele está indo para a cama com outra.* Não, esse não é o despertar das quatro da manhã. O despertar das quatro da manhã é uma coisa muito mais antiga, mais terrível.

Não consigo sentir o peso de meu corpo na cama. Não consigo sentir a linha de minha pele ao longo do lençol. Estou balançando a uns três centímetros do lençol, e não acredito em mim mesma, na maneira como respiro ou me viro, e não acredito em Tom ao meu lado: que ele está vivo (às vezes, eu acordo e o encontro morto, só para acordar outra vez). Ou que ele me ame. Ou que qualquer de nossas lembranças seja recíproca. Então ele está ali deitado, separado, enquanto eu perco a fé. Ele dorme de costas. E uma manhã, às, sim, quatro, desperto para uma lívida intumescência em seu corpo em decúbito; uma coisa roxa à beira da deterioração. Tom está deitado de costas, solto, dormindo como um santo morto, ou uma criança. E ele está, sim, dormindo lindamente, com as palmas das mãos viradas para o céu e soltas ao lado do corpo, um sorriso apertado no canto dos olhos, como se aquilo que visse no centro de sua cega testa fosse tão convincente, e transitório, e adorável. Fico olhando para ele um pouco, que bobagem, que idéia mais boba para se acordar, mas não posso conferir para ver se é verdade, a coisa que eu sonhei no corpo de meu marido adormecido; um pau tão roxo e sólido que era uma carga para ele. Ele está ali deitado, as costas apertadas no colchão só para sustentar aquilo, aquela coisa insuportável, que está espetada nele e se projeta dele, enquanto ele dorme debaixo dela. Desamparado. E cheio de pensamentos agradáveis.

E eu me viro de novo e puxo as cobertas para mim, enquanto a coisa que meu marido está fodendo no sono lentamente se afasta. Uma coisa que podia ser eu.

Ou podia não ser eu. Podia ser Marilyn Monroe, morta ou viva. Podia ser um tipo de garota escorregadia, plástica, ou uma mulher que ele conhece do trabalho, ou podia ser uma criança: sua própria filha, por que não? Há homens capazes de qualquer coisa, dormindo, e não tenho bem certeza do que é que os detém quando estão acordados. Não sei como traçam a linha divisória.

21

Eis uma outra cena. Acontece na casa de Ada em Broadstone, muito depois. Anos depois. É uma cena em que Ada quer consolar Nugent porque a vida de Nugent não está indo bem. A vida de Nugent está indo muito mal e, embora nada seja dito, Ada sabe disso por causa do cheiro que fica em volta dele, e do jeito dos ombros ficarem retos enquanto o resto fica pendurado e abandonado; ela sabe que envelhecer, com todas as suas decepções, não combina com Nugent.

Não tem certeza se combina com ela também.

Quando ela lhe oferece chá, é com um surpreendente tremor no pires e ele aceita calado, põe em cima da mesa. Os biscoitos são, nessa circunstância, um pouco espalhafatosos. Com os flocos brancos de coco espalhados por cima do marshmallow rosa, os biscoitos são um pouco além da conta. Ada sabe que ele está triste, mas não sabe se tem de o consolar. Lamb Nugent tem uma mulher, Kathleen, e quatro filhos saudáveis. Não tem razão para reclamar. O que ele pede é o que Ada mais se recusa a dar, ele pede para ela acreditar em sua dor, a dor comum de um homem cuja mulher não o ama muito e quatro filhos que ele, no momento, não entende; a dor usual de homens quando descobrem que não fizeram nada e que não lhes resta nada a fazer. Ele quer que ela tenha pena de sua vida perfeitamente agradável e do fato de essa vida não lhe pertencer; o fato de ele ser um fantasma em sua própria casa, olhando para a mulher que o encosta na parede e os quatro filhos que roubam todo alento que sai de sua boca. Enquanto ele fica ali sentado com uma mulher velha demais para levar para a cama, a mantenedora de seus tesouros, a mulher que não quis amá-lo, embora ela realmente saiba que deveria.

E onde está Charlie durante tudo isso? Ele está fora, conversando com um homem sobre um cachorro.

Então, Ada come os biscoitos ela mesma, um depois do outro, os olhos conferindo depressa a sala para ver se suas coisas estão como deveriam estar, se o tempo está melhorando, se o jornal ainda está dobrado no braço da cadeira, esperando para ser lido. Ela tem quarenta e sete anos, Nugent tem cinqüenta e um. Os dois são, à luz de seu tempo, já muito velhos.

Nugent fica sentado na sala da frente da casa dela e sangra. Não há nada de surpreendente nisso: Ada aperta as migalhas de seu prato, que grudam no indicador antes de ela levá-las à boca. Por que seria pior para ele do que para qualquer outro homem? Mas é pior. Ele insiste nisso. Está cansado dela agora.

Há algo que ela diz que ele não escuta, ou talvez ele apenas resolva não responder. Há um lapso, de qualquer forma, uma fenda no ar entre eles, e Ada, a dona de casa, se desloca sem pensar em endireitar aquilo. Ela se levanta e se ocupa por um momento com a bandeja, vira-se de novo para uma resposta a qualquer pergunta: sobre o Show de Primavera, ou a qualidade da praia de Port Salon, e quando Nugent tenta falar, mas não consegue, ela estende a mão e toca o ombro dele.

Só isso.

Ela estende a mão para o ombro dele e, à maneira de uma pessoa que a conhece há todos esses anos, ele olha para cima e levanta a mão para o quadril dela. Ficam assim um momento, então Ada se abaixa para levantar a bandeja e vira-se para sair da sala.

Ou a bandeja caiu e a blusa de Ada está aberta sob os dedos de Nugent e os dois estão meio no chão, meio na poltrona. Como será, ver o corpo dela depois de tantos anos? Eles não estão acostumados à nudez; não têm na cabeça nenhuma seleção de corpos de pessoas comuns, como a que se pode recolher só de ficar sentado numa praia de verão. Portanto, o seio para o qual ele estende a sua boca de cinqüenta e um anos pode ser bonito ou não, não há como dizer, para nenhum dos dois: a bolsinha do seio de Ada com o mamilo duro, virado para cima, eles não julgam, nenhum dos dois, pela idade ou pela estética, nem por absolutamente nada, o choque dessa manipulação na luz basta para lhes encher a cabeça como um acidente de carro pode encher a sua ou a minha, de forma que tudo o que se segue é lento, absoluto e fora de seqüência, o roçar da pele particular dele contra a pele particular dela, o toque do pênis dele contra... será sua perna, sua pelve, sua barriga? Será que ele sabe o suficiente para fazê-la deitar? Há um momento, como haveria hoje em dia, de decisão, ou de pedido (porque é isso que o aspecto técnico exige), ou a coisa simplesmente acontece? Ela está deitada, nem empurrada, nem ajudada, nem solicitada a isso, e a coisa já está feita, com Lamb Nugent derramado em algum lugar, fora ou dentro de Ada Merriman. Eles arrumam as roupas e nada é dito (isso é possível?) porque eles têm dificuldade até de lembrar o que acabou de acontecer entre eles, será sempre difícil colocar em palavras quem queria o que ou se mexeu quando, a não ser, de vez em quando, por um lampejo, quando olharem de um ou de outro lado para atravessar a rua, ou na pausa da chave para entrar na porta; uma convulsão distante de mão e seio, a sensação interna de boca contra boca, e olhos que recusam a se abrir no caso da luz do dia dar alto ao que está acontecendo outra vez, brevemente, quando ultrapassam o limiar ou pulam a cerca?

Deve ter sido um êxtase abandonar-se assim, Nugent levantando a liga de Ada para chegar à sedosa depressão no alto de uma perna que é, pelos padrões da época, realmente muito velha. Mesmo assim, eu gostaria de permitir mais a eles. Ada tem três filhos, Nugent quatro, e embora seja possível suportar esses acontecimentos corporais como se estivessem acontecendo com outra pessoa (como minha mãe deve ter feito), não acho que fosse da personalidade de Ada, nem da dele, serem tão inocentes.

Então. Há uma virada na conversa. Nugent empaca. Ada se levanta para lidar com a bandeja. Estende a mão para consolá-lo, ele leva a mão ao quadril dela, e as vidas de ambos se bifurcam diante deles. Podem deixar as mãos ficarem, ou podem retirá-las. São jovens de novo; de volta àquele momento da vida em que o corpo de outra pessoa é um caminho que pode ser trilhado, sem chance de volta.

Eles sabem, também, que esse momento passou há muito; não são jovens e não há nada fatídico num coito, quando é tarde demais. O que têm pela frente não é tanto uma bifurcação da estrada como um pequeno acostamento. Eles podem fazer aquilo e não teria importância. Nada mudaria por causa disso; nem o futuro, nem o passado. Nugent ainda teria amado Ada, ou a desejado, e Ada ainda iria querer Charlie, amando-o ou não, se é que ela, de fato, jamais amou alguém, ou não. É uma pergunta difícil para ela responder aos quarenta e sete anos e é a pergunta que é suscitada pela mão de Nugent em seu quadril: a questão de ter alguma vez amado alguém, seu marido errante, seus filhos, ela mesma, ou os pais que nunca teve.

E então? Ada não ama propriamente as pessoas, mas sim as alimenta e mantém limpas, e isso também é uma forma de amor, mas ele sugou isso dela, esse homem com quatro filhos saudáveis e uma esposa perfeita, ele tomou seu amor doméstico e o descobriu deficiente e Ada não identifica a mentira: que todas as mulheres são desalmadas porque são desejadas. Por um momento, Ada fica ali parada e pensa que é verdade (e talvez seja verdade) que ela nunca amou uma única pessoa. Está só. Não lhe resta nada a fazer.

Quando os dois se movimentam, está tudo acabado. O amor de Ada foi testado e revelou-se deficiente, também o de Nugent, também o amor em geral: está tudo de acordo a esse respeito. Então não há nada consolador no deslizar da mão dela pela nuca melancólica de Nugent, ou no impulso da mão dele que a faz se ajoelhar, enquanto ele sai da poltrona baixa para juntar-se a ela no chão, e há algo martirizado no alçar do queixo de Ada quando ela abre espaço para a cabeça dele em seu ombro e a face dele contra seu pescoço. E movimentam-se assim, em trêmulas pausas e repelões decididos, pelo xadrez corporal, até ela estar inteiramente preparada, no chão de sua sala de estar, esperando.

Eu gostaria de pensar que alguma outra coisa aconteceu, quando ele entrou nela. Mas isso eu não sei. Eles estavam apaixonados, de repente. Ou mergulhados em dor. Ou o quê?

Os dois se divertiram.

Puseram a casa abaixo ao seu redor: Deus estilhaçado na lareira, a História em farrapos, em guirlandas como as coxas de Ada sobre as grades da lareira.

O bookmaker trepa com a puta (tinha me esquecido de que ela era puta), e estamos perto da verdade aqui, estamos chegando à *verdade* (do essencial *bookmakerice* do homem e da essencial putice da mulher), estamos entrando nisso, assim como Nugent está entrando em Ada, no fato da baixeza dela, no fato de que *ela queria isso também*. Ou será que basta? Ele, para provar sua teoria, não precisaria fazer mais?

Posso retorcê-los o quanto quiser, aqui na página; fazê-los suportar todo tipo de protelação, de êxtase, de inconseqüência, de abjeção, de alívio. Posso torcê-los e reconfigurá-los dos modos mais rudes, mas falta-me coragem, há algo tão banal nas coisas que acontecem *por trás de portas fechadas*, essas terríveis transgressões que são apenas sexo, afinal de contas.

Apenas sexo.

Eu adoraria deixar o meu corpo. Talvez sejam sobre isso, essas questões de buraco, qual ou de quem, dos fluidos certos nos lugares errados, essas confusões infantis e pequenos sadismos: são uma maneira de combater nosso escape de toda esta carne (eu gostaria simplesmente de nadar para fora, sabe?, ser emitida como uma palavra que sai de minha boca e desaparecer com uma rabanada), porque há um limite ao que se pode foder e com o quê, Nugent abrindo a barriga de Ada com seus dedos quadrados, perversos, mergulhando em suas cavidades, tomando com cuidadoso desejo os belos lóbulos de seus pulmões e acariciando: "Ah", Ada suspira quando o ar sai de dentro dela, os pulmões rosados apertados com força.

— Ah.

Chego ao fim do que eles poderiam fazer, o que eles poderiam ter feito, e tudo se resume a isto:

Ada estende a mão para o ombro de Nugent e ele, à maneira de uma pessoa que a conhece há tantos anos, olha para ela e leva a mão a seu quadril. Assim ficam um momento e então Ada se abaixa para pegar a bandeja, vira-se e sai da sala.

22

Há fatos sobre a maneira como Liam morreu que eu preferia não ter sabido. Tanta coisa eu esqueci em minha vida e não consigo esquecer esses pequenos detalhes. Esqueci meu aniversário de vinte e um anos, também o aniversário de dezoito anos, esqueci todas as noites de Ano-novo exceto duas, esqueci que cara tinha aos nove, dez ou doze anos o meu irmão morto, mas nunca vou esquecer os três pequenos fatos que a boa gente de Brighton me contou sobre o corpo que içaram do mar.

O primeiro foi que Liam estava usando um casaco curto amarelo fluorescente, como aqueles usados por trabalhadores de estrada de ferro e ciclistas.

O segundo é que estava com pedras nos bolsos.

O terceiro é que estava sem cueca debaixo do jeans, e sem meias dentro dos sapatos de couro.

As marés de Brighton são rápidas e vão longe. Ele estava com o casaco para ser visto ao entrar na água, e seu corpo seria encontrado com facilidade. Liam, que não era capaz de organizar uma caixa de fósforo, foi, nessa ocasião, absolutamente organizado.

As pedras se explicam sozinhas.

É a ausência de cueca que me faz chorar. Liam nunca estava arrumado, mas era sempre limpo e embora morasse em vários buracos eles sempre tinham água corrente, ele sempre sabia onde ficava a lavanderia mais próxima. Usava um sabão rosa antiquado, com um cheiro industrial, não faço idéia de como se chamava. Me lembro de parar no supermercado e cheirar todas as barras de sabão embrulhadas, e acabava com alguma coisa sem cheiro que ele não usava. Ele passava xampu de Alcatrão de Hulha no cabelo e Listerine nas gengivas. Passava talco fungicida em toda parte e pedia lenços umedecidos ao lado da privada. Usava fio dental. O antitranspirante dele era capaz de dissolver tinta.

Liam tirou a cueca porque não estava limpa. Tirou as meias porque não estavam limpas. Provavelmente, enquanto a água fria inundava seus sapatos, ele teve pensamentos de limpeza.

Eu sei, ao escrever estas três coisas: o casaco, as pedras e a nudez de meu irmão por baixo da roupa, que elas exigem que eu lide com fatos. É hora de pôr um fim a histórias cambiantes e a divagações. É hora de pôr um fim no romance e contar apenas o que aconteceu na casa de Ada no ano em que eu tinha oito e Liam quase nove anos.

Eis a boa sala da frente de Ada em Broadstone. A porta foi pintada de branco brilhante, que está amarelando. Dentro, a sala é empapelada de rosa seco. Há um sofá surrado e duas bergères duras, mas Ada colocou uma fantástica coleção de almofadas em cima das capas escuras e em vez de quadros nas paredes ela tem fotografias autografadas, em molduras. A sala dá de cara para a rua, de forma que há cortinas bege de enrolar, além de cortinados de renda, e do teto ao chão, cortinas vermelhas, teatrais. A janela é a primeira coisa que se vê ao entrar e faz todo o resto parecer mortiço, a não ser pelo espelho em cima do aparador da lareira que reflete uma fatia brilhante da sala. A porta se abre para dentro e fica perto da porta do hall, de forma que você entra direto para ver quem está ali: Charlie dormindo no sofá, às vezes de pijama, ou Ada lendo na bergère que fica na frente da janela por causa da luz, ou o sr. Nugent sentado na outra poltrona, numa sexta-feira, enquanto Ada o evita na cozinha, arrumando biscoitos num prato.

Em algumas semanas ela não estava ali para recebê-lo de jeito nenhum. Nunca se sabia exatamente quando estava. Não ficávamos em volta de Ada, que tinha um jeito bem seco e sempre alguma coisa para fazer. Ada era chegada a uma xícara de chá e, quando sentava com uma xícara de chá, podia-se conversar com ela o quanto se quisesse. O resto do tempo estávamos, como todas as crianças naquela época, "atrapalhando".

Então eu passava grande parte do meu tempo indo de quarto em quarto, procurando alguma coisa ou evitando alguma coisa, difícil dizer o quê.

— O que está fazendo aí? — Ada perguntava. — O que você está fazendo *aí*?

Havia um terrível tédio na casa e eu não conseguia me livrar dele. Tédio à espreita nos cantos e no caminho da garagem e no quintalzinho dos fundos. Nesse dia em particular eu estava entediada de várias maneiras na escada ou na mesa da sala de jantar, ou no hall, até que me entediei de novo e resolvi ir para o quarto bom.

O que me surpreendeu foi a estranheza que vi ao abrir a porta. Era como se o pênis do sr. Nugent, que estava espetado para fora da calça, tivesse crescido estranhamente e florescido na ponta, produzindo uma grande e desajeitada forma de menino, sendo esse menino meu irmão Liam, que, acabei por ver, não era uma extensão do membro do homem, ali misteriosamente no chão na frente dele, mas um menino de nove anos chocado (claro que estava chocado, eu tinha aberto a porta), e o membro nem era isso, mas sim o braço nu do menino que formava uma ponte de carne entre ele e o sr. Nugent. A mão dele estava enterrada no tecido, o punho segurando alguma coisa escondida lá dentro. Eles não eram uma coisa só, ligada dos fundilhos abertos ao ombro, eram duas pessoas que eu conhecia, o sr. Nugent e Liam.

Estou tentando me lembrar da aparência dele, mas é difícil lembrar o rosto de seu irmão quando criança. E mesmo sabendo que é *verdade* que isso aconteceu, eu não sei se tenho a imagem real na minha memória: a forma peculiar na extremidade do pênis do sr. Nugent, a ponte de carne entre homem e menino. A imagem tem muita luz amarelada, há muitas sombras em cima dela. O sr. Nugent está ligeiramente reclinado, as mãos pousadas em cada joelho. Acho que pode ser uma falsa lembrança, porque há um terrível emaranhado de coisas que tenho de atravessar para chegar a ela dentro de minha cabeça. E também porque é insuportável. O sr. Nugent reclinado para trás na cadeira, o queixo encostado no pescoço, o rosto repuxado para trás de satisfação ou dor. Ele parece um velho fazendeiro recebendo uma massagem nos pés.

Não sei por que o prazer dele seria para mim a coisa mais terrível no quarto. A internalidade daquilo. A careta provocada por um peido ruim conseguindo atravessar as entranhas, ou um homem que escuta uma notícia terrível, mas mesmo assim engraçada. É o rosto retorcido de Lamb Nugent que é intolerável, entre o homem que não aprova esse prazer e aquele que tem um fraco por ele.

Desde então, fui para a cama com homens assim: eles não entregam nada até o final, e aí choramingam, como se alguma coisa terrível tivesse acontecido. O prazer que toma conta deles é como uma espécie de emboscada. E você sente culpa, claro. Sente que é tudo culpa sua.

Digo que fui para a cama com "homens", mas você sabe que isso é uma forma de afetação, porque o que quero dizer é que quando fui para a cama com Tom, ele às vezes é desse jeito, desejo por trás e ódio na frente de tudo, e "Está olhando o quê?", ele diz, ou um estranho sarcasmo quando, ao jantar com os amigos, fala de gozar, ou de eu não gozar, embora você saiba que eu gozo, sim (pelo menos acho que gozo), e me dou conta depois, mais tarde, de que o que ele quer, o que o meu marido sempre quis, e a coisa que não vou dar a ele, é minha aniquilação. É assim que rola o desejo dele. Rola próximo do ódio. Às vezes, é a mesma coisa.

— O que foi que eu fiz para você? — eu grito. — A não ser te amar? O que foi que eu fiz para você? — pergunta que ele acha idiota demais para ser feita.

Sei que nem todos os homens são assim. Em algum lugar por aí, centenas de milhares de Michael Weiss estão levando a pé os filhos e filhas para aulas de saxofone e de piano, vivendo em algum meloso filme americano, onde homens são homens e seus corações são fáceis. Sei que esses homens existem, já até estive com eles, só que jamais conseguiria amar um deles, mesmo que eu tentasse. Amar um daqueles que sofre, e eles me amarem. Eles me amarem para me ver sentada em sua linda mobília italiana e amarem me ver chorar.

E sei o quanto isso é bobagem. Não se mata uma pessoa fazendo sexo com ela. Mata-se com uma faca, uma corda, um martelo, uma arma. Estrangula-se com as meias de náilon. Ninguém mata com um pênis. Então nada passa, esse negócio de odeio você, te amo, odeio, de um sonho de matar e morrer, esse tanto eu entendo; que quando os dois rolam e se separam para dormir, então o sonho acabou por mais um dia.

Há também o prazer do menino a considerar. Há também a questão de quem ele odiava ou quem ele amava. Embora Liam, nessa memória ou imagem, tenha sua cara de sempre, que era uma cara branca e aberta, com cílios recurvados e pretos sobre olhos tão dilatados que pareciam azul-marinho.

Ele ficou apavorado.

E antes que a cena ficasse clara para mim, me lembro de pensar: *Então esse que é o segredo.* A coisa que existe dentro da calça de um homem, é isso que ela faz quando ele fica zangado: ela cresce na forma de uma triste criança.

Me lembro que fazia muito frio. Você se lembra do frio em alguma pele imaginária que não combina direito com a sua e aí é que eu me arrepio, quando me lembro da umidade do ar daquele dia no quarto da frente de Ada.

Há também o cheiro de anti-séptico Germolene, que para todo o sempre ficará para mim associado a coisas que deram errado.

Penso sempre em Nugent olhando para mim quando ele se dá conta de que estou à porta. A mão do menino (certamente estava se mexendo) pára e Nugent, curvando-se em seu difícil prazer, leva um momento para notar isso. Durante um momento, ele quer que a mão do menino continue, imagina que está se mexendo, uma vez, duas, até que a cabeça supera sua obstinada imobilidade e ele abre os olhos para me ver ali parada.

— Não vai sair daí? — ele diz, e quando Liam tira a pobre mão da vista da calça do homem eu sinto que estraguei tudo para todos os envolvidos.

Faço uma pausa ao escrever isto e coloco minha própria mão no rosto, lambo a pele grossa da palma com uma língua de menina. E inalo. Os estranhos confortos da carne. De ser eu.

Vi uma grande desolação nos olhos de Liam, naquele dia e em muitos outros dias depois, mas quando Nugent me viu, uma garotinha com uniforme escolar segurando a maçaneta da porta, a expressão de seus olhos foi de uma irritação muito comum.

— Não vai sair daí?

E eu saí. Fechei a porta e corri para o banheiro de cima, com uma urgência de urinar e olhei meu xixi saindo; cutuquei, raspei ou esfreguei quando terminei e cheirei meus dedos depois.

Pelo menos, presumo que foi isso que eu fiz se tinha oito anos de idade, mas talvez eu tenha apenas aberto a torneira e olhado a água, ou passado as pontas dos dedos pelas bolhas do vidro do banheiro, ou passeado pelo espaço de um jeito distraído, voltando da vertigem da privada, e da banheira branca, tão misteriosamente cheia de ar.

Olho para minhas filhas e penso que aos oito anos já se sabe tudo. Mas talvez eu esteja errada. Você sabe tudo aos oito anos, mas está escondido de você, lacrado, de um jeito que é preciso se cortar para descobrir.

23

Passei a gostar de dirigir à noite. Foi o fantasma do meu encosto de cabeça quem primeiro me atraiu para fora da casa: eu o peguei com o rabo dos olhos e pensei, por um momento, que ele havia ido embora. Depois, vi que ele estava caído para a frente em cima do painel, paciente como um aposentado idoso tentando não se mijar. Eu havia dobrado o banco para a frente para colocar a bicicleta de Emily atrás e não endireitei quando voltei para casa. Agora, o banco sofreu uma pequena, mas horrível, emergência na via pública. Confiro a hora: são 3h30 da manhã. Às 3h45 o banco ainda está caído. Às 4h ele desistiu de dar qualquer impressão de esforço e está indefesamente tombado. Pego minha garrafa de vinho branco da geladeira uns bons quinze minutos antes do amanhecer e, num impulso, pego as chaves do carro. Depois, com copo, garrafa e saca-rolhas, saio na chuva para encontrar meu fantasma encosto de cabeça.

Quando abro a porta de passageiro e puxo a alavanca, o banco se levanta de volta, chocado e aliviado. Fica olhando um momento, direto à frente. Ainda está a postos, meu fantasma encosto de cabeça, como milhares de amigos mecânicos em milhares de desenhos animados. Sento no carro. O estofamento está frio. Tiro a rolha e sirvo um copo de vinho para mim, depois deixo a garrafa no asfalto e fecho a porta. Relaxo no banco e bebo em seu frio abraço, bem contente; a chuva dando privacidade a todo o encontro.

Faço isso algumas vezes na semana seguinte. Saio e bebo dentro do carro. Às vezes, não está chovendo, e andar no escuro sozinha me deixa muito sem fôlego, há algo tão nu em nossa pequena propriedade à noite; os vizinhos, cada um com sua loucura, dormem, enfileirados. Nada importa. A criança da cadeira de rodas do número 7, o "Proibido estacionar" do número 10 e meu marido muito carente no número 4, cada um sonhando seus sonhos comuns.

Ponho a chave no contato, só pela companhia do ar-condicionado, e ligo o rádio baixinho. O impulso de dirigir é muito forte, mas o copo de vinho, quando tento, não fica equilibrado no suporte de copos. Mesmo assim, e estou oficialmente louca então, uma louca dona de casa, afasto o carro da sarjeta e bebendo o tempo todo rodo pela redondeza em primeira. Quero jogar o copo vazio no jardim de alguém, mas é claro que não faço isso. Estaciono e deixo o copo na rua, no lado oposto ao da garrafa, e através desse pequeno portão de vidro eu dirijo, passo pelo pequeno rochedo de granito entalhado na boca de nosso enclave e saio para a cidade além.

Estou num estado de medo quase perfeito ao rodar em direção ao centro da cidade; olhando por cima do ombro para conferir se o carro está vazio atrás de mim, entrando em ruas onde nunca entrei antes, sempre tendendo na direção do mar. Agarro a direção e freio forte demais no semáforo. Roço a sarjeta de uma ilha central e, quando o tranco clareia minha cabeça, descubro que já estamos, o carro e eu, a caminho do norte, ao longo da curva de Dublin Bay. A Hill of Howth me dá satisfação ao sentir, quando rodo pela estrada plana em direção a ela, que estou viajando em cima de areia, que a maré ainda quer o chão debaixo de minhas rodas. Num estacionamento do alto da encosta eu paro, fico sentada e espero ser morta.

Está ficando tudo um pouco febril agora. Noites seguidas eu não me permito sair da casa, ou então pego minhas coisas assim que tudo se aquieta e vou. Faço isso talvez três ou cinco vezes e acordo sem saber onde estou numa estrada atrás do Sugarloaf, ou correndo junto à parede de um haras em Kildare. Não há nada de ilegal em dirigir, mas isso tudo me dá a sensação de proibido, a dona de casa em seu Saab, que abandona os filhos adormecidos, deixando-os sem proteção contra seus sonhos.

Então, uma noite, entendo qual é o lugar que estou evitando e, com grandes e deliberados movimentos da direção, supero a relutância natural do carro e vou dirigindo até Broadstone.

As ruas são minúsculas. São casinhas de brinquedo, casas de crianças. Não podemos ter morado aqui. Como cabíamos? Antes que me dê conta estou na Constitution Hill, na frente do longo muro baixo com a Virgem Maria cinzenta parada em cima do mundo redondo, cinzento, mas não é da fortaleza que eu me lembro, com os ônibus enfileirados acima. A garagem de ônibus fica mais adiante na ladeira, embora não no alto, e, quando eu desço na direção do rio, vejo, à minha esquerda, a igreja onde fomos pegos roubando velas. É um mosteiro capuchinho, diz a placa do lado de fora, e eu sinto que aquele padre horrível não pode ter vindo dali, porque esses são frades, gente admirável de pés nus nas sandálias no meio do inverno. Mas, por outro lado, por que não? Podia ter acontecido com frades do mesmo jeito.

Volto para Broadstone e me vejo, depressa demais, no portãozinho no Basin onde estaciono e desço do carro. Ali está! Foi neste lugar que Liam fez xixi, não, como vejo agora, através da malha de arame, mas através de uma cerca antiga, embora o resto continue igual. Continua tudo igual. A água é a mesma. E o caminho. Foi aqui que aconteceu.

Volto para o carro e rodo sem faróis direto para a casa de Ada. Estaciono no primeiro espaço vazio e fico ali sentada quinze, vinte minutos, repassando uma porção de lembranças urgentes, horríveis, antes de me dar conta de que estou na rua errada, embora o número na porta seja o mesmo.

Tom me encontra na porta. Suas narinas se dilatam com o ar fresco de meu casaco e ele vira para o outro lado.

Pergunto:

— Onde estão as meninas?

Ele diz:

— Onde você estava?

Eu começo a rir.

— Ha, ha — rio ao colocar minha bolsa em cima do balcão, ao tirar o casaco, ao pendurar o casaco debaixo da escada. Ele levou as meninas para a escola e voltou para me confrontar. Pela sua expressão congestionada, acho que é capaz de me dar um soco.

— Está se atrasando no trabalho por causa disso? — digo.

— Onde você estava? — ele pergunta, e eu adoraria responder que estava fora, como ele está fora o tempo todo. Fazendo, acontecendo, sendo, ou mesmo trepando. Adoraria dizer "Estava só dando uma trepada" num tom de voz bem tranqüilo, mas não quero nem pensar em como meu corpo deve estar abatido desde que adotei a escuridão. Ponho a mão delicadamente no peito da camisa dele e o gesto é tão gracioso que enquanto estou olhando me leva, com muita facilidade, para a fivela do cinto, que eu seguro com a outra mão e assim, empurrando-o suavemente ao mesmo tempo que o puxo, invento de chupar meu marido em nossa própria cozinha. Num dia de escola.

Isto é de verdade, penso. *Isto é de verdade.*

Embora eu não tenha certeza se é realmente. Quando terminamos, Tom planta um beijo seco, pensativo, no meio de minha testa. Ele não pode reclamar de ter sido ludibriado, não depois daquilo que é sua prática favorita, oficial, sempre, mas ele sabe que foi ludibriado mesmo assim. E fica furioso com isso.

— Simplesmente não sei de onde você está vindo — ele diz. Uma frase corporativa de meu menino corporativo.

Quando ele vai embora, eu subo e me deito na cama de Emily. Depois levanto, puxo o edredom e me deito de novo. Não sei o cheiro que ela tem, ela é como um perfume que se usa muito tempo, ela ainda está muito próxima do meu lado de dentro. Então não consigo sentir completamente o seu cheiro, mas sei que o cheiro está ali quando me deito com a idéia dela ao meu lado. Quero passar a mão pelas lindas costas dela, e por sua bundinha adorável. Quero conferir se está tudo lá ainda, e bem arrumadinho, e feliz, se os músculos de minha filha combinam com os ossos. Quero descobrir a pessoa que construí com matéria do meu próprio corpo, e que cresceu com dez mil pratos de salsicha orgânica e feijões sem açúcar e quero apertar cada parte da coxa dela, até ela estar moldada e compacta. Quero terminar meu trabalho de fabricá-la porque quando estiver pronta ela será forte.

24

Tomo o trem de volta de Brighton e encontro Kitty num pub no "Gatwick Village" para o vôo de volta. O lugar é enervante, toda aquela lameira de sempre dos copos de cerveja e cinzeiros, mas em mesas miniatura para haver espaço para os carrinhos, mochilas e malas; homens dormindo em cima das cervejas, barbas por fazer, tristes. O próprio pub é só um arremedo de pub, um canto pintado do corredor, com o chão de cor diferente. Não tem portas. Abro caminho em meio ao lixo de bagagem e vidas atrasadas para encontrar Kitty: uma mulher estranhamente igual a minha irmãzinha, mas velha demais.

Quando chego à mesa, olho todos os copos vazios à sua frente e pergunto:

— São todos seus?

— Ah, pelo amor de Deus, porra — ela diz.

— Só perguntei.

— Dois são meus, os outros não. Tudo bem?

— Quer mais um?

— Quero, sim, obrigada. Adoraria tomar mais um.

Viro para ir nadando até o bar e ouço ela dizer: "Bunny", que é o nome que usava para mim quando criança. Me viro para abraçá-la, as costas torcidas, o tórax afastado, enquanto ela meio que se levanta para receber o abraço, as coxas presas debaixo da mesinha de madeira. Seu cabelo dá a sensação de falso, como uma peruca, mas acho que só está é arrepiado por baixo da tintura e do Frizz Ease. De longe, parecia tão encaracolado, bonito e preto como sempre, embora ao conferir seu rosto eu veja que despencou, bem profundamente, e toda a atração dos olhos azuis, das faces malandras e do sorriso sedutor, toda a graça celta se derreteram fácil como cera, deixando a pele pendurada de ossos, ossos, ossos.

— Como vai você? — pergunto.

— *Como* eu vou?

— É. Como vai?

— Bem. Estou bem.

— O que vai ser então? — pergunto.

— Um gim-tônica, obrigada.

— É. Achei que era.

— É.

Foi há muitos anos, acho, a última vez que pedi um drinque num bar. O barman me ignora por um tempo imenso. Sinto vontade de gritar para ele que já sou crescida e quero lhe dar um dinheiro agora. Quero dizer: "Meu irmão morreu! Me sirva imediatamente!", mas e daí? Tem gente que não vê o irmão há vinte anos.

Pego o gim para Kitty e um para mim.

— Doses inglesas — ela diz, levanta o copo e sacode, como se eu fosse uma tonta.

Kitty sempre reclama de que apanhava em criança, apesar do fato de que era uma moleca total: ela sempre pedia mais, e recebia; não só de mim e de Liam, que gostava dela de verdade, mas também de Mossie-o-psicótico, que caçoava dela e a irritava até ela virar uma Shirley Temple total. Havia algo de transcendental na sua raiva aos seis, sete anos, o corpo rígido e o temperamento zunindo pela sala, até ela pegar aquilo, de alguma forma, e enfiar de volta dentro dela. Depois explodia como uma gracinha a cuspir fogo, uma irmãzinha de desenho animado; os punhos socando o peito de Mossie. O que significava apenas atrair problemas porque era melhor não levar as coisas muito longe com Mossie. Pelo menos eu e Liam, a gente só fazia para brincar.

E é claro que me sinto culpada quando penso nisso agora e não acredito em bater em ninguém, absolutamente, mas ainda sinto uma coceira de algo que é mais que divertimento quando ela se faz de fresquinha filha-da-puta desse jeito. A jogada de cabeça, uma pequena superioridade, me dá vontade de que ela tenha seis anos de novo.

Levanto o copo para ela, só ligeiramente, e digo:

— Viva.

* * *

Começa a chorar assim que entramos no avião; e chora o caminho todo até em casa. Litros de choro. Passa de um vazamento silencioso aos suspiros, ao arfar, às sacudidas, e tudo de novo. A mim parece que ela está mais ensaiando chorar do que chorando de fato. Olho pela janela, enquanto a comissária de bordo oferece gentilmente um conhaque no café dela e cobra cinco libras esterlinas por isso.

— Você está bem? Tem certeza?

O homem ao lado dela sabe que alguém morreu. Ele se pergunta se eu sou uma assistente social, ou talvez até uma oficial de presídio, e por que não estou segurando a mão dela. Eu também me pergunto por que não seguro sua mão, enquanto olho a pele distante do mar da Irlanda. "Nós dormimos no mesmo quarto durante vinte anos", sinto vontade de dizer para ele. "Não basta isso para você, isso já não é *muito além da conta?*"

Liam, enquanto isso, está sentado uma fileira acima do outro lado do corredor. Há uma ameaça sonolenta em torno de seu fantasma que me faz entender como ele estava indiferente quando finalmente entrou no mar se afastando de todos nós. Posso sentir seu olhar na pele de meu rosto quando ele se vira para olhar, sinistro e morto. Eu sei o que ele está dizendo.

A verdade. Os mortos não querem outra coisa. É a única coisa que eles exigem.

Olho para cima depressa demais e ele desaparece.

Há uma grande casa branca na ilha Lambay, georgiana, eu acho, e que vale zilhões. A primeira vez que a vi deve ter sido da praia, no dia em que fomos com Ada visitar nosso tio louco, Brendan. E, de repente, me sinto atingida por esse fato, o filho de Ada perdido para o Largactil e a esqualidez. Quantos anos daquilo? Ele provavelmente morreu se perguntando quem era de fato.

Observo o litoral em busca de uma praia, uma ponte, um estuário, e volto para a terra e lá está: um lápis de torre redonda, um vaso gordo de torre de água e, além disso, um grupo de prédios cercado de árvores. Acabo de avistar o local e o perco de novo, o avião se inclina e capta uma visão do céu.

— O que aconteceu com tio Brendan? — grito para Kitty, por cima do ruído.

— O que aconteceu com tio Brendan?

— É, tio Brendan.

— Por que você quer saber do tio Brendan?

O avião abre a barriga e esperamos o trem de pouso travar. Endireitando as perninhas, fincando os calcanhares.

— Ele morreu — Kitty diz, acalmando-se.

— É mesmo?

— Eu gostava dele.

— Gostava?

Eu tinha certeza de que nunca o conhecera, mas agora ali está ele, de repente, na mesa de Natal em Griffith Way, um rosto que fica fantástico por causa das bochechas caídas, as narinas circundadas de vermelho e os olhos, os olhos, quando penso neles, eram cansados e desagradáveis, como se a loucura fosse uma coisa tediosa; quase tão tediosa quanto o Natal. Minha memória o pinta com um chapéu de papel laranja, com um copo de conhaque na mão trêmula, mas não havia álcool em casa até Liam começar a trazer escondido, e tampouco havia chapéus de papel.

Foi de Brendan que vieram nossos olhos: olhos de Spillane que cruzaram com o azul atlântico de meu pai para nos dar nossos olhos alcoólicos, sem diluição, de um azul sem mistura, lindos, patológicos e um tanto ausentes, ou distraídos, até que os "ligamos", o que quer dizer que, quando notamos alguém, resolvemos lhe dar o azul total.

(Os meus olhos são como os de Ada, uma espécie de nada cinzento que chamam de *liath* em irlandês quando escrevem sobre os muros de pedra ou o mar. Alice tem esses olhos de chuva também, assim como Ivor e Midge. Nós não somos verdadeiros Hegarty elétricos, mas uma subespécie; os Firbolg de Griffith Way.)

De tio Brendan foi também que recebemos nosso traço matemático: isso, na verdade, uma capacidade bastante prosaica que tem a ver com lembrar números de telefone e repreender caixas de supermercado por cobrar a mais pelas verduras. Nenhum de nós tem o que tio Brendan tinha, isso nós sabíamos, porque tio Brendan tinha matemática. Sempre nos era dado a entender que o irmão de nossa mãe era bom demais para este mundo.

145

E embora Ernest leia sua Teoria das Supercordas à luz de velas nas montanhas do Peru, a maior parte dos Hegarty espertos não passa disso: são *espertos*, o que quer dizer imperdoáveis; ganham mais ou menos dinheiro que os outros e são capazes de observações inteligentes. Entendo, ao aterrissarmos, que a vida em St. Ita não era romântica, e sim, mais provavelmente, uma prolongada e suja questão de ficar olhando o mijo empoçar no seu colo e chegar quase a saber no que você estava pensando, de tempos em tempos.

— Eu sei no que estou pensando! — diz o louco na minha cabeça, batendo no braço de madeira de sua poltrona. — Eu sei no que estou pensando! E a enfermeira que passa diz:

— Sorte sua!

O terminal do aeroporto começa a correr pela janela e parece tanto uma foto de um prédio, todo o ritual de desembarcar parece tão cinemático e falso, que eu não acredito nele nem por um minuto. Tio Brendan não está morto agora, ou não propriamente morto, e há algo tão irritadiço na passarela rolante, nas escadas rolantes e nos carrosséis de bagagem, algo que ainda não adere ao solo irlandês, a tal ponto que, quando finalmente pego o Saab no estacionamento e chego à rotatória da rodovia do aeroporto, viro para o norte em vez de virar para o sul.

Fica só a alguns quilômetros, este lugar. A pontezinha ainda está lá, e a linha ferroviária, que corta para o norte. Depois disso, há um repentino afrouxamento em meu mapa mental e a estrada se desenrola à minha frente. Estou apenas começando a perder a esperança quando ela volta de súbito a ser a estrada de que me lembro: a mesma, longa e reta. Há uma calçada de concreto ao longo do lado esquerdo, uma linha de árvores desastrosas ao longo do direito, além delas uma vala que dá lugar a um campo baixo, onde um verde vívido, molhado, se inclina aqui e ali, numa poça de água sobre a relva.

Além das árvores está o cru céu branco acima da água.

É isto. Não há diferença entre o olhar da minha lembrança e meu olhar real. Tento diminuir o ritmo de minha memória, mas está correndo por mim depressa demais.

— Lembra desta estrada? — pergunto a Kitty.

— Que estrada?

— Esta estrada.

— O que tem ela?

Ela já devorou metade do passado. Metade de minha vida desaparece antes de ela resolver entender.

— Se eu me lembro? — Kitty pergunta.

— Nossa — eu digo.

— O quê?

Mas agora já passamos o bangalô em seu campo de trigo, embora esteja agora cortado rente ao sol baixo de outono.

— O homem com dois bastões?

E ali onde ela podia bem trazer as coisas à tona, Kitty diz apenas:

— Ah.

— Andando aqui?

— Aqui? — diz Kitty. — Não, não foi aqui.

Momento em que dou uma parada e faço uma curva à direita, na entrada do hospital.

É como se estivéssemos rodando pelo meio de uma súbita e breve névoa, do outro lado da qual está o passado. Engato a segunda, me debruço sobre a direção ao passarmos por um terraço de chalés de vigias, a casa do proprietário, talvez, e então o hospital em si, construído de tijolos vermelhos vitorianos, e do tamanho de uma pequena cidade.

"Serviços para Deficientes", diz a placa, e penso, aliviada, que os lunáticos não estão mais ali. Os lunáticos, muito naturalmente, viraram pó. As pessoas não ficam loucas mais. Os lunáticos são apenas um resíduo de pele naqueles quartos; raspada, ou arrancada, ou talvez apenas solta: um milhão de flocos de pele, uma maciez debaixo das tábuas do chão, uma qualidade de leveza.

Passamos por um pátio com uma alta chaminé e uma baixa casa de caldeira, tudo em extravagante tijolo vermelho industrial. A casa de caldeira tem curiosas janelas redondas, divididas em painéis pela estrela-de-davi.

— Nossa — diz Kitty, pensando, como eu penso por um segundo, que queimam doentes mentais ali, só para manter aquecidos os radiadores do hospital.

Paro na quadra de handebol, o motor em ponto morto, e olho a torre redonda e a caixa-d'água adiante. Mas não é possível puxar o freio de mão e sair para o ar nu do asilo, com as janelas de caixilho ainda espiando em suas fileiras. Sigo para um bangalô junto ao mar, meus pneus cheios crepitando no cascalho, depois faço uma manobra, viro e vou embora.

Assim que saímos do portão, corro uns cem metros até o mar propriamente dito, o mar público, o mar de nadar. A água salgada sempre me faz sentir sã; a altura das ondas, o piscar de peixes e a imensa pressão daquilo no leito do oceano, tudo. Há uma pequena propriedade que desce até a praia, uma criança numa bicicleta, imóvel de curiosidade, e, quando viro no fim da estrada, um muro cinzento limitando um pequeno campo. E nesse campo, que é bem pequeno, uma cruz celta que diz:

Eu saio do carro para olhar.

1922-1989

EM CARIDADE,

POR FAVOR REZEM

PELOS RESIDENTES DO

HOSPITAL ST. ITA

ENTERRADOS NESTE CEMITÉRIO

QUE DESCANSEM EM PAZ

Apenas uma cruz, bem nova, no fim de um pequeno caminho central. Uma dupla fileira de mudas promete futuras sorveiras. Não há marcadores, nem túmulos separados. Eu me pergunto quantas pessoas foram atiradas ali na terra daquele campo e me dou conta, tarde demais, de que o local está fervilhando de corpos, que o solo é tecido pelo emaranhado de ossos.

Olho para trás, desamparada, para Kitty, que está no banco da frente do carro.

Eles me pegam pelas coxas. Fico pregada pelas coxas por aquele sentimento, qualquer que seja ele. Um vento vago. Ele me pega, desliza entre minha roupa e minha pele. Levanta meu cabelo. Roça meu lábio. E passa.

25

Uma vez, vi um homem com sífilis terciária na missa. Ele estava sentado no banco à nossa frente, quieto no seu canto, quando Mossie o apontou, porque Mossie era o tipo de sujeito que sabia dessas coisas. As dobras das orelhas do homem tinham sido comidas; elas se enrolavam para trás, como plástico derretido. Quando ele virou de meio perfil, dava para ver que a ponte do nariz havia se achatado no rosto, deixando uma dobra de pele que caía até onde ficavam as narinas. Sua respiração era confusa e ruidosa, mas não parecia louco: Mossie disse, depois, que eles sempre ficam loucos no fim. Mesmo assim, não havia como não notar as marcas de sua história no rosto.

Kitty disse isso no carro, a caminho de casa, depois da missa. Ela devia ter uns onze anos. Disse:

— O homem na nossa frente tinha sífilis terciária.

A cabeça de meu pai afundava no pescoço quando ele dirigia, suas costas inteiras pareciam mais grossas. Depois de um momento, minha mãe falou:

— Ah.

A História é só biológica: isso é o que eu penso. Recolhemos e escolhemos os fatos sobre nós mesmos: de onde viemos e o que isso significa. Sento e limpo a pele debaixo de minhas unhas, penso na última manicure feita em Liam por aquele delicado agente funerário inglês, os restos pretos de um bar; verniz e suor, cerveja derramada e pele dos outros. O que é escrito para o futuro é escrito no corpo, o resto é só rastro.

Não sei quando o destino de Liam foi escrito em seus ossos. E embora Nugent tenha sido o primeiro homem a colocar ali o seu nome, por alguma razão, acho que não foi o último. Não porque eu tenha visto alguma coisa acontecer, mas só porque é desse jeito que as coisas funcionam. Claro, ninguém sabia como essas coisas *funcionavam* na época. Olhamos para gente como Liam e temos toda uma outra história para isso, um conjunto diferente de palavras.

Moleque, pivete, travesso, malandro, perdido, inútil, louco, desordeiro.

Agora que ele está morto, tenho de dizer que Liam teve seus dias de glamour também.

Meu irmão foi inesperadamente bonito com a idade de quinze anos: isso quando eu ainda estava em plena gordura e crescimento da adolescência. "De onde você tirou esses rabos de rato?", Ita dizia do meu cabelo, ou então: "Por que sua pálpebra é tão vermelha, será que você está com *uma infecção*?"

Ita ia ser "bonita", ela ia "arranjar um homem", e havia alguma coisa indestrutível em sua aparência desde uma tenra idade. Enquanto isso, meu rosto ficava menos legível para mim, de semana em semana. "Onde você arrumou esse cabelo lambido?", ela dizia. O que era uma boa pergunta, Ita, era uma pergunta muito boa, obrigada.

Liam teve uma coisa engraçada com o cabelo durante algum tempo, e seus lábios floresceram estranhamente e para sempre, um dia, quando ele tinha catorze anos. Mas como era pequeno e, acho, "bonitinho", a adolescência de Liam durou cerca de uma semana. Aos dezesseis anos, era maravilhoso e mau, e o azul de seus olhos uma coisa de deixar tonta. E embora sua inquietação o tornasse, por fim, incapaz para o mundo adulto, em seus últimos anos na escola Liam era um príncipe, um destruidor de corações; ele estava acima das regras.

Assim que Mossie saiu de casa, Liam mudou para a galeria do jardim, onde as paredes eram caiadas de branco e havia linóleo rústico no piso. O espaço tinha a vantagem de uma porta para a rua, de forma que nunca se sabia se ele estava lá ou não. Tinha uma pequena coorte que pulava o muro dos fundos e espiava pela janela da cozinha de vez em quando; a maioria rapazes e, depois de algum tempo, algumas garotas. Ele teve um melhor amigo, Willow, para companhia e experiências, a maior parte das quais parecia consistir em enfiar coisas nos bolsos da calça e fazer cara de idiota cada vez que eu abria a porta.

Eu não me importava. Era velha demais para eles na época. Estava ocupada a rabiscar fragmentos de amor não correspondido pelo irmão mais velho de Willow, Tanner, nas capas de minhas pastas de escola. Eu escrevia em francês, para ninguém entender, a não ser a sra. Gogarty, claro, que era a professora de francês. *Mon amour est un petit oiseau brun / Blessé par toi, / Tanner.* Ela lia tudo de cabeça para baixo e olhava para mim com carinho, sorria. Eu tinha ódio dela por isso. Detestava que tivesse descoberto e gostasse um pouco de mim (o que parecia ser verdade). O negócio é que havia grande privacidade numa família grande. Ninguém mexia nas suas coisas a não ser para roubar ou sacanear. Ninguém nunca tinha pena de você, ou *gostava um pouco de você*, a não ser talvez Ernest, cuja pena, mesmo na época, era deliberada demais para se levar em conta. E nós achávamos que esse era um jeito honrado de viver. Eu ainda acho, de certa forma.

Enquanto isso, eu tinha duas amigas que passavam na minha casa na volta da escola, de repente, e nos divertíamos como loucas, até Liam entrar na cozinha, quando então a diversão ficava ainda melhor: Fidelma, que não era importante para mim nem de um jeito, nem de outro, e minha melhor amiga, Jackie, que era muito importante, na verdade. Além de qualquer outra coisa, eu pensava, ele era muito baixinho para ela. Nós bebemos juntos uma Páscoa, durante a missa da meia-noite, sentados no campo onde iam construir uma escola; passando uma garrafa de vodca, que misturávamos na boca com um gole de laranjada com gás. Foi com alguma relutância que deixei aquilo tudo acontecer, embora não tivesse de acontecer, eu sabia disso. Ou não relutância: que sentimento era aquele? Solidão. A visão de Liam virando-se para a quietude do rosto de minha amiga Jackie, no escuro. Enquanto Willow e eu, sentados longe deles, engolíamos com ruído. Dentro da igreja, passavam a chama pascal de vela para vela até parecer que o lugar estava pegando fogo: então acenderam as luzes fluorescentes.

Há anos não tomo vodca; mesmo agora há alguma coisa adocicada e pubiana no cheiro de vodca, uma grande lufada de terra e adolescência que sai da garrafa e bate na cara. Jackie chorando no telefone para mim e depois Fidelma por sua vez, até eu gritar com Liam para que deixasse minhas amigas em paz. Depois disso, ele partiu para seus solos de sábado à noite e eu me amarrei com Joe Noventa, assim chamado porque tinha trinta anos, um homem que, agora compreendo, queria tanto me desvirginar que tinha de parar o beijo no meio para pressionar a testa contra a parede. Eu adorava aquilo tudo. Joe Noventa gostava que eu me arrumasse e me levava a pubs, enquanto Liam escorregava para longe de mim, para sua juventude dissipada.

Uma noite, Bea atendeu o telefone no hall.

— É. É, sim — ela disse e a casa inteira parou para ouvir. Ela chamou papai.

— É, é, sim — ele disse. — Certo. Certo. Certo, sim — então subiu a escada, pegou o paletó e saiu para o escuro do outono, fechou a porta ao passar.

Ele nunca saía à noite.

Uma hora depois, entrou de volta pela porta como havia saído, sem expressão e triste. Atrás dele, Liam encolheu os ombros e levantou as mãos, para dizer que não precisava de nenhum comitê de recepção. Mais tarde, ele me contou que tinha sido liberado da delegacia local, ou resgatado por papai, mais provavelmente, e que não era nada: tinham apenas lhe dado um tapa e o mandado de volta para casa.

Nunca descobrimos por quê. Papai não quis comentar, nem na época, nem nunca, e passou a tratar Liam com um novo e completo desdém. Para os dois, estava tudo acabado: nada mais de gritos, nem de proximidade com papai, que cutucava o ombro dos meninos com o indicador esticado.

— O quê. Estou. Afinal. *Dizendo* para você?

Cutuca. Cutuca. *Cutuca.*

Às vezes, eu me pergunto como nunca houve um assassinato naquela cozinha.

— Está forçando a barra, pai. Não me force, não.

Mas papai não se dava mais o trabalho de forçar Liam, não. A polícia havia telefonado para casa e a vergonha daquilo era tão completa que não havia mais nada a dizer.

Quando penso nisso agora, que estardalhaço. Liam na cozinha levantando o cabelo para mostrar uma crosta de sangue seco e um vergão vermelho de face a face, onde ele havia batido o rosto na barra da porta da cela. Me lembro disso em vívido tecnicólor: o cabelo dele muito preto, e o vergão muito vermelho, os olhos de um azul nada diluído. Eles só "bateram nele um pouco", falou, "umas porradas".

E eu disse:

— Não seja tão idiota.

Ele olhou para mim.

Agora acho que o que eu quis dizer foi que, se bateram nele, ele devia ser o culpado. Queria dizer também que, se ele forçasse a barra, eu não acreditaria nele nem se o que ele dissesse fosse, estritamente, verdade.

Se estou em busca do ponto em que traí meu irmão, então deve ser este, sim. Olhei a carne inchada do rosto e resolvi que não acreditava nele, se era preciso "acreditar" em alguma coisa. Só isso.

Resolvi que ele não merecia que eu acreditasse nele.

— Não seja tão idiota — eu disse.

O que mais?

Nós dávamos risadas de algumas coisas: padres sacanas, e as bolinhas do saco de meninos pequenos, e "Venha aqui sentar no meu colo, rapazinho", e meninos do coro e bundas de homens gays, e qualquer coisa que tivesse realmente a ver com inocência e bundas, embora ninguém mencionasse — agora que me detenho para fazer uma lista de tudo isso —, ninguém falasse de *piroca*, nem de *ferro*, nem *me deram uma lambida no mickey*. Ora, por que isso? Por que achávamos que era tudo hilário, mas só de certas maneiras, quase rituais?

Essas conversas aconteceram durante um mês ou dois de um verão, e depois se acabaram. Eu gostava delas. Gostava do silêncio depois que a risada parava. O silêncio de Liam era como se ele tivesse acabado de se mijar e ninguém tivesse notado, então tudo ficava magicamente OK. E meu silêncio era a menor das possibilidades (aproveitada e depois abandonada) de apontar o molhado.

Prazer pelo qual, minúsculo, mas muito intenso, eu gostaria de ser perdoada. Gostaria de ser perdoada, agora, porque sinto muito por ele.

Se eu acreditasse em algo como a confissão eu iria lá e diria que não só eu ria de meu irmão, como deixei que meu irmão risse de si mesmo a vida inteira. Esse período de risos durou toda a fase alegre de sua bebedeira, e toda a fase braba de sua bebedeira, e só foi declinando no fétido estágio final de sua bebedeira. Mas ele nunca desistiu completamente do riso: da idéia de que tudo era uma *piada total*.

Liam nunca teve nada a ver com autopiedade, nem de si mesmo, nem de ninguém. Quando alguém estava arrasado, Kitty, por exemplo, era sempre pelas razões erradas, no entender dele. Não me entenda mal, Liam amava as pessoas que sofriam: amava os pobres, os destituídos, os solitários, os alcoólatras, tinha pena de qualquer pessoa que tivesse um problema, contanto que elas não tivessem pena de si mesmas. O que não soa inteiramente justo de minha parte. Me soa como *orgulho*.

Sei que pareço amarga e, nossa!, queria não ser uma filha-da-puta tão dura às vezes, mas meu irmão me culpou durante vinte anos ou mais. Me culpava por minha casa boa, com a bonita pintura branca nas paredes, e pelas boas filhas em seus quartos de lindo lilás e ainda mais lindo rosa. Me culpava por meu marido que gostava de golfe, embora Deus saiba que há muito anos Tom não tem tempo livre para uma partida de golfe. Ele me tratava como se eu estivesse me vendendo de alguma forma, embora eu não saiba como, porque Liam não permitia *sonhos* também, claro. Meu irmão tinha idéias fortes sobre justiça, mas era indelicado com toda e qualquer pessoa que tentasse amá-lo; principalmente, especialmente, com qualquer mulher que jamais tenha ido para a cama com ele, e, mesmo assim, depois de uma vida inteira espalhando mágoas, ele conseguia pôr a culpa em mim. E eu conseguia me sentir culpada. Ora, por que isso?

É isso o que a vergonha faz. Essa é a anatomia e o mecanismo de uma família, da porra de um país inteiro, se afogando em vergonha.

Ah, sim, às vezes eu olhava minhas lindas paredes e, como Liam, dizia: "Ponham isso tudo abaixo." Principalmente depois de uma garrafa de um bom Riesling. Como se o mundo fosse construído sobre uma mentira e essa mentira fosse muito secreta e muito suja. Mas eu não acho que impérios, cidades ou mesmo casas isoladas de cinco quartos sejam construídos sobre o sórdido fato de as pessoas fazerem sexo, eu acho que são construídos em cima do sórdido fato de que as pessoas têm hipotecas. Mesmo assim, meu marido trepou comigo na noite do velório de meu irmão, e eu sacudo a minha garrafa vazia para o meu conjunto de sofá e poltronas de acamurçado e digo também: "Que venha tudo abaixo."

Numa das últimas vezes em que Liam veio em casa, estávamos em reforma, na verdade: a parte de trás da casa fora posta abaixo e estávamos todos acampados na metade da frente, comendo comida de *delivery*. Acho que praticamente culpei Liam, não os construtores. Ele chegou no meio do entulho com uma mulher alta demais, triste, que parecia não ter opiniões, nem sobre o que queria comer. Ele bebia constantemente. Depois de cinco dias disso, foram para Mayo e desejei nunca mais ver meu irmão de novo.

Tenho uma foto dessa visita, de Liam com Emily em cima de um joelho, uma noite, depois do banho dela. Ele é um montículo cinzento de homem, recostado numa poltrona que está coberta com uma capa contra poeira. Emily tem dois anos; nua, ereta como uma seta e mais linda do que se possa expressar com palavras. As mãos de Liam são grandes, mãos cheias, em torno da cintura dela, segurando-a no colo. O bumbum dela é firme, nítido, montado em uma das coxas dele. Atrás dela, o tecido da calça dele está enrugado e folgado nos fundilhos, que são um mistério no qual ninguém mais está interessado. A cara dele é divertida.

Liam entendia Emily, eles se gostavam. De Rebecca, que é mais parecida comigo, ele dizia:

— Pena os dentes dela.

Tenho de perdoar isso também, acho.

Pena os dentes dela.

Logo depois que os policiais o prenderam e nosso pai o soltou de novo, ele atirou uma faca de pão do outro lado da cozinha em cima de minha mãe, que provavelmente estava apenas tentando dizer alguma coisa agradável, e a família inteira caiu em cima dele e chutou-o pelo jardim dos fundos.

— Seu idiota de merda.

— Você errou, babaca.

E havia uma grande satisfação nisso, pelo que me lembro. Como um parasita que precisasse ser removido. *Ele atraiu aquilo para si mesmo.*

(E talvez, mais secretamente, ela também.)

Mas mesmo assim eu me perguntei, durante longo tempo, por que os policiais o tinham prendido. Pensei muito sobre isso. Pode ter sido por uma janela quebrada, ou por ter roubado bebida de uma loja, ou simplesmente pelo jeito como olhava. Ou podia ter sido por alguma coisa que eu não conseguia nem adivinhar. Havia uma garota, Natalie, que chorava e gritava na esquina da rua, talvez fosse por causa dela. Achei que podia ter havido algum mal-entendido, que meu pai havia sido obrigado a esclarecer com *mais informações* sobre a garota e o seu jeito atrapalhado, e o comprimento da saia de sábado à noite que ela usava.

Por fim, tive de perguntar. Eu disse: "Foi a Natalie? Foi *aquela* lá?", e ele só olhou para mim.

E se ele a tivesse estuprado? Essa não é uma coisa que os homens fazem? E se houvesse sangue na perna dela, lágrimas em seu rosto? Muco. Que mais?

Eu tinha dezesseis anos e não sabia absolutamente nada de sexo. Não é estranho? Fosse o que fosse que eu soubesse da mecânica da coisa, aquilo, de certa maneira, não estava disponível para mim. Eu não sabia como essas coisas aconteciam. Parece que os anos de minha adolescência foram anos de crescente inocência, porque aos dezesseis anos eu estava completamente apaixonada e completamente pura. Nós íamos todos ser poetas, eu pensava, amaríamos com muita força, e Liam, com sua raiva, ia transformar o mundo.

Mesmo assim, havia alguma coisa que eu não conseguia captar direito: alguma coisa que era altamente relevante, que eu realmente precisava saber. No fim, tive de perguntar para ele.

— Foi com a Natalie, a história da polícia?

Liam olhou para mim. E o abismo que se abriu entre nós foi o abismo que existe entre uma mulher e um homem, ou pelo menos foi o que pensei, aos dezesseis anos, a diferença entre o que um homem pode fazer, ou quer fazer, sexualmente, e o que uma mulher só pode adivinhar.

— Você estava abusando dela?

E ele respondeu:

— Não seja tão obtusa.

* * *

Havia uma floresta onde fomos passear uma vez. Era outono, talvez naquele mesmo outono. Os troncos das árvores estavam cinzentos e brilhantes e as folhas que grudavam neles eram do alaranjado mais teatral que uma folha pode ser. Era uma avenida de faias, acho agora, com as raízes subindo maciças da terra diante de nós.

Só isso.

Era uma cena romântica, caminhar por aquela avenida de folhas alaranjadas, então eu devia estar pensando em Tanner ou em Joe Ninety ou em quem quer que fosse aquela semana: eu estaria pensando no homem desconhecido que estava destinada a amar. Em lugar disso, me vi empacada em toda aquela beleza, com meu irmão.

Havia montanhas ao longe; maciços de rocha e urzes. Caminhávamos debaixo de um céu alto, pálido, e nos sentíamos, naquela paisagem, tão pequenos, e não havia ninguém para julgar. Só isso. Havia uma imensa sensação de ausência de Deus naquilo. O que acabava sendo meio engraçado de certa forma, aquilo tudo: as montanhas, o céu pálido, as folhas alaranjadas demais que se recusavam a cair, naqueles que eram os dias finais de nossa ímpia aliança.

Qual foi o melhor momento?

Quando Liam tinha catorze anos, mais ou menos, ele tinha uma bicicleta e eu não, então ele me levava na barra do meio até as lojas ou à piscina pública. Não sei como ele enxergava por cima do meu ombro para dirigir. Havia sempre uma briga por causa da direção: eu segurando o guidão rígido, ele tentando virar de um lado ou outro, com o queixo fincado nas minhas costas e meu cabelo nos olhos dele. Ele pedalava com as pernas abertas e eu com as pernas projetadas para um lado, de forma que éramos uma coisa de cotovelos e joelhos, os cutucões das pontas do guidão e as estocadas doloridas dos pedais de aço inoxidável. Podia-se pensar que era brincadeira, mas era uma luta do começo ao fim.

Depois disso, na piscina, nós nos ignorávamos por causa da diferença de sexo, e se não havia meninos para ficar com ele, ele nadava sozinho, e se não havia meninas, eu fazia o mesmo.

Às vezes, não conhecíamos ninguém, mas não desistíamos da chance de conhecer alguém para falar um com o outro. E se ele vinha até mim de fato, com seu peito magrela molhado e o rosto todo cheio de manchas vermelhas, eu ficava absolutamente incomodada por ele revelar meu disfarce. Porque quem pode ser um objeto misterioso das profundezas quando o irmão está perto de você falando:

— Você está com ranho pendurado no nariz.

— Cale a boca.

— Um verde bem grandão.

— Não estou nada. Vá embora.

— Olhe aí.

— Vá à merda!! Suma!

O peito magrela dele arqueando para trás. A boca roxa, suja, afundando. O pé chutando água na minha cara, enquanto ele nada para longe para se juntar a alguns meninos monstruosos do outro lado da piscina.

Natalie devia estar lá também, uma garota gordinha de dez anos de idade com uns poucos pelinhos púbicos feito queixo de velha, ela perdia o biquíni toda vez que mergulhava da beira da piscina. Quatro anos depois, perguntei a Liam se ele *estava abusando dela*, e ele me dá uma olhada de tão longe que não sei como atravessar.

Agora eu sei.

Sei agora que a expressão nos olhos de Liam era a expressão de alguém que sabe que está sozinho. Porque o mundo nunca saberá o que aconteceu com a gente e o que a gente leva consigo como resultado disso. Nem mesmo a irmã, a salvadora, de certa forma, a garota que fica na luz do hall, nem ela retém ou se lembra da coisa que viu. Porque, naquele estágio, acho que eu tinha esquecido completamente daquilo.

Ao longo dos vinte anos seguintes, o mundo em torno de nós mudou e eu me lembro do sr. Nugent. Mas nunca teria tirado essa conclusão por conta própria: se eu não estivesse ouvindo rádio, lendo o jornal, ouvindo o que acontecia em escolas, igrejas, nas casas das pessoas. Aquilo estourou na minha cara e mesmo assim eu não entendi. E, por isso, eu também sinto muito.

26

Emily vira os olhos de gata para mim.

— Como tio Liam morreu? — ela pergunta.

— Afogado — respondo.

— Como ele se afogou?

— Ele não conseguia respirar dentro da água.

— Água do mar?

— É.

É importante ser clara com essas coisas: Emily tem de desmontar o mundo para remontá-lo de novo. A cabeça de Rebecca é uma máquina de tipo mais vago, a ansiedade a desnorteia. Às vezes, quero que ela seja mais focada, porém quem pode dizer o melhor jeito de ser?

— Eu sei nadar — diz Emily.

— É, você sabe nadar, você é uma grande nadadora.

— Ele não sabia nadar?

— Querida, ele não queria nadar.

— Ah.

— Quer um abraço?

— Não.

— Não *o quê*?

— Não, obrigada.

— Bom, eu quero um abraço. Venha e dê um abraço na sua pobre mãe.

E ela vem com os braços abertos e um grande sorriso falso para a pantomima da "Pobre Mamãe". Eu devia pensar que ela é egoísta, mas não penso: acho que ela é absolutamente linda em seu egoísmo.

— Acho que tudo bem se matar — ela diz encostada no meu peito. — Sabe, quando a gente é velho.

É difícil lembrar que eles não têm a intenção de magoar, ou não sabem que magoam. Eu a afasto de mim e digo numa voz arrastada de lágrimas, mas *de bronca*:

— Seu tio Liam não era velho, Emily. Ele estava doente. Está ouvindo? Tio Liam estava doente, da cabeça.

Ela fica no meu colo e passa a unha pelo náilon liso de minhas meias.

— Doente com enjôo por causa do mar?

— Ah, esqueça isso, tudo bem? Esqueça e pronto.

Ela pula para me abraçar, a vitória conquistada sobre todas as minhas *preocupações*. E então sai correndo para brincar.

Durante uma semana, componho um grande discurso poético para minhas filhas contando como existem na nossa cabeça pequenos pensamentos que são capazes de crescer até devorar a cabeça inteira. Apenas pequenos pensamentos, que são como um câncer, não se pode dizer o que dispara o progresso deles, ou quem vai ter isso, e por que alguns têm e outros são poupados.

Eu sou toda a favor da tristeza, digo, não me entendam errado. Sou toda a favor da vida comum do cérebro. Mas a gente se enche às vezes, como aqueles passarinhos de madeira que pousam em cima de uma estaca: nós nos enchemos às vezes, até que *plonque*, caímos na bebida.

27

Cerca de um mês depois do funeral, Tom volta para casa como sempre, joga o casaco em cima do sofá e coloca a pasta no chão, aí chega até a área de jantar, soltando o nó da gravata, tira o paletó, pendura no encosto de uma cadeira de espaldar duro; vai devagar até a bancada para pegar um pedaço de fruta da tigela e eu penso: *Não aconteceu, Liam nunca morreu, está tudo como sempre foi*. Em vez disso, digo:

— Você treparia com qualquer coisa.

— Como? — ele pergunta.

Eu digo:

— Não sei onde começa e onde termina, só isso. Você treparia com a garçonete de dezenove anos ou com a de quinze que parece ter dezenove.

— Como é que é?

— Não sei onde fica o limite, só isso. Não sei onde você traça a linha divisória. Puberdade, é essa a linha? Hoje em dia acontece com meninas de nove anos.

— Do que você está falando? — ele pergunta.

— Talvez não uma trepada de verdade. Claro. Mas só, sabe como é, o seu *desejo*. O que você quer. Existe um limite para o que você sente vontade de comer lá fora?

Eu enlouqueci.

— Meu Deus do céu — Tom diz.

Ele tira o paletó da cadeira e vai para a porta da rua, mas eu peguei minha bolsa e chego nela antes dele, disputando a maçaneta.

— Você não vai sair — eu digo.

— Saia da frente.

— Você não vai sair. Eu vou sair. Sou eu que vou para a porra do pub.

Estou com a porta aberta agora, então acontece uma patética cena de empurra-empurra na varanda. Olá, Booterstown! Ao se dar conta de que está a ponto de bater em mim, Tom levanta as mãos no ar. E essa é a resposta, acho, para a minha questão sobre os impulsos e as ações dele, e o lapso entre as duas coisas. Se eu quisesse enxergar. Coisa que não faço.

— Você pode levar as meninas de manhã — eu digo.

Porque é aí que acabam nossas grandes emoções, em quem faz os transportes e quem faz o mingau: pelo menos até eu desistir e tentar salvar meu casamento fazendo tudo. Meu Deus, como eu era capaz de ficar amarga.

— O que você quer dizer com "de manhã"?

Olho para ele, de forma muito dura. Ele leva a mão ao lábio, como se tivesse alguma coisa grudada ali, o que me dá o meio segundo de que preciso para passar pela porta e me distanciar dele pela entrada.

— Onde você vai?

— Não sei — respondo.

E vou para Shelbourne, com meu cartão de crédito.

O que é um erro.

O local está cheio de gente se divertindo. Eles sentam, bebem, conversam, dão risada. Parecem estar explodindo com isso, seja lá o que for. Com a coisa toda de serem eles mesmos. Aquele sujeito, Dickie Kennedy, está bebendo num canto, e me lembro da história de que ele arrumou sua esposa "desertando a casa paterna". E conseguiu também a casa.

Eu devia estar usando minha saia de tweed verde-claro, justa nas coxas, aí eles iam ver. Eu devia sentar aqui num vestido-envelope bem chique. É nisso que penso, no limiar do meu casamento (ou será no limiar de minha sanidade) no bar Shelbourne: penso que a roupa faria uma diferença.

Sento e bebo um gim-tônica num copo pesado e me dou conta de que há um número limitado de alternativas para uma mulher como eu.

Dois anos atrás, recebi uma carta de Ernest. Estava me escrevendo para contar que ia abandonar o sacerdócio, embora tivesse resolvido ficar com sua escolinha nas altas montanhas.

E seu bispo podia ter algumas coisas a dizer a respeito, e assim tinha resolvido não contar ao bispo. Ia contar, de fato, apenas a amigos e à família (mas não conte para mamãe!) que não havia mais "padre Ernest", mas apenas o velho e simples "Ernest" de novo. Uma vez padre, sempre padre, claro, então ele não estaria mentindo por manter a boca fechada. "Não tenho nenhum outro lugar para viver, além de meu próprio coração", escreveu, querendo dizer que ia conduzir sua vida como antes, mas em termos particularmente diferentes.

E achei que aquilo era a coisa mais idiota que já tinha ouvido, sentada num banquinho no bar Shelbourne, me perguntando o que aconteceria se eu simplesmente continuasse como sempre, não contasse para ninguém, não mudasse nada, mas afinal resolvesse não estar casada.

E me perguntei quantas pessoas à minha volta estão vivendo com, dormindo com e rindo com seus cônjuges nessa base, e me perguntei se seriam muito tristes. Não muito, pela aparência. Nem um pouco tristes.

A última vez que vi Dickie Kennedy foi naquela incrível casa dele em Glenageary. Deve ter sido depois que Rebecca nasceu. E, meu Deus, ele era um selvagem. "Estou vendo que Brian está com as mãos ocupadas", ele diz, quando alguma pobre mulher alisa a saia por cima do traseiro volumoso, porque parece não haver jeito de ela sair da sala. Nós sentados, ouvindo esse tipo de coisa, comendo risoto de cogumelos, seguido de peixe num molho verde brilhante. A comida é muito boa. Emer, a mulher que fez tudo, tem a pele grossa como um couro por causa de sol demais e creme demais. Me chama a atenção o decote em V do top dela quando ela encolhe os ombros, e vejo a coisa toda mexer e se enrugar. Ela me faz algumas perguntas e são boas perguntas, eu respondo, assim o jantar prossegue para satisfação de todos. Ela é realmente bem inteligente. Fica um pouco bêbada. Conta a história de uma mulher que todos conhecemos que tirou o top no escritório de Dickie (a feiúra dela, você não faz idéia, a roupa de baixo), e ele voltou para casa *tremendo*. E rimos. E vamos embora.

Até Tom, no carro, se sacode um pouco, como se não pudesse acreditar na história que estava sendo representada para nós, bem ali.

— O que significa isso tudo? — Quando volto depois de levar a babá para sua casa, ele está sentado na sala de estar, acabando com uma garrafa de uísque, no escuro.

Ou talvez tenha sido outra noite. Durante algum tempo, todas aquelas noites eram iguais.

— Quer que acenda a luz?

— Não, obrigado.

— Vem deitar?

Lá vamos nós de novo. Depois de alguns drinques, mas às vezes mesmo sóbrios, jogamos o jogo da infelicidade; infindavelmente. Ding dong. Mais e mais duro. Sempre e sempre.

— Não, vou ficar mais um pouco acordado.

— Você é quem sabe.

— É.

Empurra puxa. Venha aqui que eu te digo o quanto te odeio. Espere um pouquinho enquanto te abandono. O tempo todo nós sabemos que estamos dando voltas, seja lá qual for a questão. Entendo qual é agora, porém, porque no andar de cima o bebê grita dormindo. Faço menção de sair.

— Obrigado — ele diz.

— De quê?

— Obrigado por ficar comigo.

— Ah, pelo amor de Deus.

— Não. De verdade.

Ou alguma versão disso acima: nós raramente gritamos, eu e Tom, nós só odiamos.

— Volto num minuto — eu digo.

E uma noite (pode até ter sido aquela noite, depois do peixe com molho verde e da esposa gorda de Brian, e da mulher feia com roupa de baixo ruim, e todo aquele choramingar, aquele derrotismo), Tom tira o cigarro da boca. Segura o cigarro no alto, acima do meu queixo, e o amassa na mão fechada. O cheiro, quando ele abre a mão, é miúdo e terrível.

Isso clareia minha cabeça.

O negócio é o seguinte: se eu subir e der um beijo em Rebecca, ela vai ficar contente. Se eu sentar no braço da cadeira e der um beijo em Tom, ele não vai ficar contente. Então fico com ele só um pouquinho mais, no cheiro de queimado de sua autorepulsa. Seguro o crânio dele contra meu peito. Faço isso até o choro de Rebecca subir ao tom exato que me faz levantar. Todas as vezes. Então vou.

Os filhos foram uma solução para nós, pelo menos durante um tempo. Acho que ele parou de me odiar depois que eu parei de trabalhar. Claro, Tom diria que nunca me odiou, que me amou sempre. Mas eu conheço o ódio quando o vejo. Conheço porque há uma parte de mim que quer ser odiada, sim.

Deve haver.

Então.

Foi, sim, ficando mais fácil ao longo dos anos, mas nunca deu certo de verdade.

Pensei nisso, sentada no bar Shelbourne: que eu estava vivendo minha vida entre aspas. Podia pegar minhas chaves e ir "para casa", onde podia "fazer sexo" com meu "marido" como uma porção de pessoas fazia. Isso é o que vinha fazendo havia anos. E eu não parecia me importar com as aspas, nem sequer notava que vivia entre elas, até meu irmão morrer.

28

Concluo que os britânicos só enterram pessoas quando estão tão mortas que é preciso até usar outro nome para elas. Os britânicos esperam tanto tempo por um funeral que as pessoas se reúnem não só para lamentar, mas para reclamar de o corpo ainda estar por aqui. Há uma fila, dizem pelo telefone (os britânicos adoram uma fila). Eles não se reúnem até que a emoção tenha sumido.

De que outra forma posso entender os dez dias que tenho de esperar pela papelada; os atestados de óbito e autorizações de remoção que precisam vir de lugares diferentes para um mesmo envelope que acompanhará meu irmão em sua viagem para casa.

Enquanto isso, ao mesmo tempo que computadores esperam e impressoras empacam, ao mesmo tempo que os assistentes do médico legista vão malhar na academia e os escrivães batalham com o colapso dos sistemas de aquecimento central, Liam jaz em algum indeterminado frigorífico estrangeiro e eu, nós todos damos prosseguimento às coisas. De quando em quando, ao andar pela casa, sou tomada pela idéia de que, vergonhosamente, esqueci de alguma coisa: é um absorvente caído na água da privada do andar de baixo; deixei metade de uma bolacha no braço de uma cadeira, ou esqueci de terminar o chá. Sinto na boca o chá esfriando enquanto procuro e por fim encontro a xícara vazia.

Todo dia vou até Griffith Way e me sento de um jeito um tanto formal com minha mãe e Bea se ela está lá, ou com Kitty. Conversamos de coisas comuns. Ou a colocamos na frente da televisão e nos retiramos para a cozinha, onde Kitty, onde nós todas parecemos diminuídas, crescidas demais. Fico chocada com a quantidade de produtos de que precisamos, cada uma de nós, esfregada e lubrificada, até não restar nenhuma superfície livre de um fosco ou de um brilho cosmético. É isso o que é ser de meia-idade em um lugar onde um dia fomos crianças, e agora, apesar dos momentos de crise, somos tratadas como crianças outra vez, não tanto por nossa mãe, mas pela morte em si. Só que desta vez somos crianças muito boazinhas.

Eu sou uma boa filha. Sou uma filha muito boa. Num ataque estranho de classe média, entro na Kilkenny Design e compro para minha mãe um lindo xale de cashmere rendado cor de creme.

Ela o tira da embalagem emocionada por um momento com a idéia de ficar parecendo uma velha da televisão.

Então é isso que te dão quando seus filhos morrem.

Ela deixa que eu ponha o xale em suas costas, mas seus ombros arredondados de velha o rejeitam, assim como a posição de seu queixo. Ela o puxa para o colo, diz: "Daria um lindo xale de batizado, não é? Ciara está esperando bebê." Porque embora quase não nos conheça quando nos vê em carne e osso, minha mãe mantém contagem de sua progênie e a progênie de terceira geração; ela troca os nomes deles com prazer e leveza.

— É para fevereiro, não é? Muito frio.

Todos os bebês Hegarty são batizados, porque agir de outro jeito seria tirar dessa mulher o que lhe pertence por direito, seu pequeno tesouro de almas: nós todas avançamos obedientemente até a pia batismal e entregamos os bebês. Eu não me importei, na verdade, mas achei que Jem estava forçando a barra. Quem sabe no que os Hegarty acreditam? Mossie-o-psicótico vai à missa todo dia durante a Quaresma, mas só sabemos disso porque ele nos conta, sendo psicótico. O resto de nós reza sozinho.

Pego o xale de sua mão, dobro, coloco de volta dentro da sacola de papel e, ao fazer isso, digo: "Será que você não aceitaria uma coisa para você mesma, mamãe, pelo menos uma vez?" Ela me olha, bicuda, como se dissesse: *O quê? Quer que eu seja como você?*

Não sei qual o problema em ser como eu. E não sei se ela gostaria mais de mim, se ela conseguiria lembrar o meu nome. Mamãe sempre teve liberdade para escolher quem amava e quem não amava. Os meninos primeiro, claro, e, depois dos meninos, qualquer das meninas que fosse boa.

Eu não era boa. Não sei por quê. Não que eu jamais fizesse qualquer coisa indevida. Eu apenas não aceitava aquilo, como Liam também não. Nós não aceitávamos toda aquela coisa Hegarty de *pobre mamãe.*

A Pobre Mamãe fica sentada assistindo à televisão a tarde inteira, como faz, e fará, antes e depois da morte de qualquer outro ser humano. É impossível dizer em que ela está pensando. Quando fala, é de coisas que aconteceram há muito tempo, antes de qualquer um de nós chegar ao mundo: a aventura do cavalo do leiteiro, o dia em que ela pôs fogo no carpete da sala em Broadstone, a mãe dela, Ada, na dureza do fim do mês, quando tinham de fazer um ensopado só com vegetais: ensopado da selva, ela chamava, as cenouras eram "carne de tigre", e os nabos, "dentes de camelo".

Em torno de nós, a casa está vazia e aos pedaços; um viveiro de pequenos cômodos, fervilhando com os fantasmas das crianças que fomos um dia. Três mortos, somos quase uma família normal agora. Mais uns dois e seremos do tamanho certinho.

Uma vez, eu trouxe um sujeito para limpar os tapetes, e ele me contou que era o caçula de vinte e um irmãos. Todas as famílias grandes são a mesma coisa. Encontro com eles às vezes em festas ou em pubs, nós nos anunciamos e depois lamentamos: Billy em Boston e Jimmy-Joe em Jo'burg, se dando bem, os mortos primeiro, depois os perdidos, e depois os loucos.

Há sempre um bêbado. Sempre alguém que foi molestado em criança. Sempre algum colossal sucesso, com diversas casas em vários países às quais ninguém nunca é convidado. Há uma irmã misteriosa. Isso tudo são só modas, claro, e, como modas, elas mudam. Porque nossas famílias contêm de tudo e, tarde de noite, tudo faz sentido. Temos pena de nossas mães, do que tiveram de agüentar na cama ou na cozinha, e odiamos nossas mães, ou as idolatramos, mas sempre choramos por elas: pelo menos eu choro. A dor imponderável de minha mãe, contra a qual endureci meu coração. Só mais um copo por via das dúvidas e vou dar um soco na mesa, como o resto deles, e uivar por ela também.

Foi isto que, ao longo dos anos, minha mãe fez:

1) Xícaras de chá.

Minha mãe encheu de água, ao longo de sua vida, muitos milhares de bules de chá, nunca fez mais nada, na verdade. E nós sempre brigamos por causa disso. Midge gosta do chá forte; Ernest, fraco. Mossie gostava de sacudir o bule, mas foi Ita que me molhou uma vez, girando o bule num arco: ainda vejo a fita suja de água voando na minha direção, a linha de dor na minha barriga e como era frio o tecido de algodão quando tentei desgrudá-lo da pele.

Quem quer chá?

É estranho dizer, mas ela só teve dois alcoólatras, do verdadeiro tipo "já experimentou a AA?". Mas todos os Hegarty sentem sede. Todos os Hegarty *matam* por uma boa xícara de chá.

2) Descendentes.

Quase todas as meninas são becos sem saída genéticos e não se pode censurá-las, embora Midge tenha seis filhos: ela os teve cedo e com freqüência; seu primeiro coincidiu com o último de mamãe (mas ninguém ali estava competindo). Jem tem dois bebês lindos. Mossie-o-psicótico tem três filhos cuidadosos que nunca saíram da casa paterna em Clontarf.

3) Dinheiro.

Ninguém tem um emprego de verdade, a não ser Bea, que trabalha como gerente de uma grande empresa imobiliária na cidade, e também Mossie, que é anestesista (nós desconfiamos que ele um dia irá deixar o gás ligado aquele tantinho a mais). Mas o resto de nós tem apenas eufemismos. Ita é *do lar*, Kitty é *atriz*, eu sou uma *coruja noturna*, Alice é *paisagista*. Tanto Ivor como Jem trabalham com *multimídia*, que é o maior eufemismo de todos. Ernest é *padre* (encerro meu caso).

4) Heterossexuais.

— Vocês são todos héteros? — meu amigo Frank uma vez me perguntou, num tom de grande incredulidade.

— Hmmmmm... — eu fiz.

Midge? Não é realmente relevante, é? Uma vez que a pessoa já morreu. Ou, por outro lado, uma vez que a pessoa se casou com um gerente de pub e comprou uma casa em Churchtown. Midge era uma mãe; era uma esfregadeira, uma bagunceira, sempre em pânico, colecionadora de dores, principalmente a última e maior de todas. Ela podia ter sido gay, ou hétero, ou uma babaca, é triste demais pensar a respeito, na verdade. O que Midge *desejava*, isso nunca importou nem um pouco. Quanto aos outros: metade dos amigos homens de Bea é gay, mas não acho que ela seja. Ernest é celibatário. Kitty vai para a cama com uma porção de homens, ama cada um deles e são todos casados. Isso é uma orientação sexual? Deveria ser: a putinha. Ela só trepa com o sonho impossível.

De Alice ninguém sabe. Mas todo mundo sabe dos gêmeos Ivor e Jem, que têm uma vida sexual muito agradável e normal (hurra!), não um com o outro, me apresso a acrescentar, mas com seus parceiros, um dos quais é uma garota de Surrey, o outro um bom produtor de rádio alemão (do sexo masculino).

Enquanto isso, Baby Stevie faz sexo de anjinho lá no céu, nu junto com o resto dos querubins. Ele é absolutamente fresquinho. Fazem barulhinhos quando se beijam. Soa exatamente como o nome deles. *Putti. Putti. Putti.*

Nenhum de nós é careta. Não é que os Hegarty não saibam o que querem, é que eles não sabem *como* querer. Alguma coisa no querer deles saiu catastroficamente errado.

Isso é o que eu pressinto ao olhar pela escada o quarto onde nós todos fomos concebidos: sinto o caos de nosso destino, ou não tanto um caos, como uma vagueza, o jeito como nenhum de nós conseguiu achar um rumo. E me lembro de como éramos orgulhosos. E leais. E de como éramos ligados uns aos outros. E isso não era simplesmente *fantástico*?

Eu sempre soube onde estava todo mundo. Eu ficava sentada no peitoril da janela do nosso quarto, encolhida contra a frágil folha de vidro a rastrear a casa inteira: Ita no espelho do banheiro, Midge na pia, Mossie coçando o couro cabeludo com a costura do livro de biologia, Liam recebendo alguém na galeria do jardim. Mesmo à noite eu era capaz de dizer quem estava onde: cada quarto frio e com seu diferente ar estagnado, enquanto o dia inteiro, azedado, se descarregava através da pele de meus irmãos adormecidos; o cheiro dos comprimidos de minha mãe no banheiro de cima, depois que ela entrava lá para fazer xixi.

Eles estão acordando. Estão voltando para casa.

Bea, Ernest, Ita, Mossie, Kitty, talvez Alice e definitivamente os gêmeos, Ivor e Jem.

Eles vão vir trovejando lá no alto, dentro das imensas barrigas de aviões. Ivor de Berlim e Jem de Londres, Ita de

Tucson, a misteriosa Alice sabe Deus de onde. Talvez até padre Ernest com um chapéu étnico listrado, de Lima, via Amsterdã.

Uma hoste de Hegarty. Deus nos ajude.

Vamos fazer aquela coisa Hegarty. Vamos ser valentes, decentes e vigorosos, vamos chorar e sofrer até o fim. Não haverá *porra*, porque os Hegarty não falam *porra*; a coisa boa de ser assim arrastada é que não é culpa de ninguém. Nós somos totalmente franco-atiradores. Somos seres humanos crus. Alguns sobrevivem melhor que outros, só isso.

29

O corpo ainda não chegou.

Tom deixa o suplemento de imóveis em cima da mesa da cozinha, com círculos e tiques marcando prédios em ruínas do centro da cidade. Ele grifa as palavras "necessita reforma". Acho que ele está falando de mim. Acho também, obrigado, Tom, que isso é uma coisa importante de fazer quando morre seu cunhado.

Saio para trocar o xale de mamãe e fico rodando pela cidade. Depois de um tempo, me vejo chorando na escada rolante na Brown Thomas, que é só uma loja. E o fato que me faz chorar é que não há nada aqui que não se possa comprar. Pode-se comprar lençóis, ou pode-se comprar uma cama. Pode-se comprar jeans elegantes para as meninas ou uma jaqueta Miu Miu para mim, se não ficar quadrada demais. Pode-se comprar frascos plásticos Brabantia para mantimentos que estou olhando agora no terceiro andar e de que estou realmente precisando para guardar macarrão, arroz, lentilha, sementes de abóbora e todo tipo de alimentos desidratados, principalmente os que nunca são cozidos ou usados e que moram na minha prateleira de cima. Tento contar. Será que eu devia comprar um para a polenta, que está dentro do pacote há cinco anos, esperando o dia em que vamos precisar de todos os alimentos desidratados que pudermos encontrar? E para ervilhas desidratadas? Os frascos estão pela metade do preço. Preciso de nove, acho. Começo a empilhá-los no braço esquerdo dobrado, chorando um pouco mais agora, imaginando a enchente, a peste e a bomba nuclear que nos prende todos em casa a comer polenta de cinco anos de idade. Se alguém me perguntar, posso dizer que estou chorando por causa do fim do mundo. E de repente quero jogar os nove frascos Brabantia para cima e gritar, ou ir até o caixa, esvaziar minha bolsa em cima do balcão e dizer: *E as pessoas que estão morrendo de fome na África, com as barrigas inchadas e os olhos escorrendo pus?* Porque se pode comprar qualquer coisa nesta loja. Meu irmão acaba de morrer e eu posso comprar absolutamente qualquer coisa.

— Você precisa de um desafio — diz Rebecca, empertigada em seus oito anos.

E eu digo:

— Eu já não tenho você?

Elas são boas meninas? São seres humanos decentes? No geral. Embora Emily seja um pouco felina, e gatos, eu sempre achei, só subam no seu colo para ver se você já está na temperatura que dá para comer.

Às vezes, penso em Michael Weiss — se ele também sucumbiu, com uma mulher de alto custo de manutenção e filhos que vivem o sonho da classe média, mas com *avidez*, como as minhas duas vivem. E sinto que ele seria capaz de lidar com isso; ele seria capaz de lidar com o mundo cor-de-rosa, de gostar de Barbies, mas não demais, de comprar bonecas, ou não se importar de comprá-las, afinal.

Liam nunca entrou numa loja.

Portanto, em homenagem a Liam, eu devolvo os frascos de mantimentos para seu lugar e volto de carro para casa, apontando todas as mudanças para ele, agora que está morto.

— Olhe aquela fileira de postes de luz! — digo.

Ele não está convencido.

Na verdade, eu fazia isso quando ele ainda estava vivo: todas as pequenas mudanças e irritações, estacionamento residencial, engarrafamento, os sete milhões de cones cor de laranja entre aqui e Kinnegad, todas essas coisas eu indicava para ele, porque ele morava a quinhentos quilômetros daqui. E, embora voltasse esporadicamente e passasse férias no Oeste, todas essas mudanças aconteceram sem ele. E embora nenhuma delas significasse muita coisa, eu estava triste pelo jeito como ele havia sido deixado para trás. Liam existia nos anos setenta, de certa forma. Ele podia, na realidade, ter sido mais cosmopolita do que nós éramos, preparando pratos de curry por Londres inteira, tendo toda sorte de amigos fantásticos, mas, quando ele voltava para casa, sempre parecia um pouco retrógrado, um capiau.

Meu irmão emigrante se tornou um fantasma antiquado e, quando morreu, eu o vesti com botas de borracha usadas, como os anos setenta irlandeses foram buscar nos anos cinqüenta na minha cabeça.

30

Estou esperando a casa lotada, mas, na porta, Bea sacode a cabeça ligeiramente.

— Só nós, mesmo — diz ela. — E uns poucos vizinhos.

"O que você queria?", sinto vontade de dizer. "Quem vai vir e olhar o corpo de um morto na nossa sala quando não tem nem um copo de vinho decente na casa?" Mas não digo isso. Tom está atrás de mim. Ele pegou meu cotovelo, e o está usando como um *joystick* para me fazer contorná-la, e eu ficaria zangada, mas seu toque é tão antiquado. Ninguém mais segura as pessoas assim, a não ser Frank, no trabalho, que era gay e já morreu.

— Está tudo nos olhos — ele disse uma vez, quando me livrou de uma tremenda surra corporativa. E *Pobre Frank*, eu penso. *Por que não sofri pelo Frank?* E me dou conta, de repente, e com grande convicção, de que tenho de acarpetar o andar de cima, Frank seria totalmente a favor disso. E arrumar um técnico de limpeza outra vez. Preciso de um limpador para cuidar do excesso de fibras. Então me lembro da asma de Rebecca, como sempre me lembro nesse ponto, e antes de terminar de lembrar disso estou olhando o corpo morto de Liam na sala da frente.

Não nos conhecemos?

Consigo ver a cor exata do carpete novo que eu quero. "Madeira clara", acho que se chama.

Por que você fica me seguindo?

A sala está quase vazia. Não há ninguém aqui com quem eu possa conversar sobre o pulmão das crianças ou as cores do carpete, sobre tramas e nós, e verde-mar, ou porcentagens de lã. Morto ou vivo. Liam não liga para essas coisas. Eu me sento. Vestiram nele um terno azul-marinho com camisa azul, como um policial. Ele teria gostado.

Quem vestiu o Liam?

O jovem agente funerário inglês de lábios cheios e orelha furada; falando com a namorada pelo celular enquanto levanta a cabeça pesada para passar a gravata.

O terno, tenho certeza, vai estar na conta.

Eu esperava que o caixão fosse colocado atravessado na sala, mas não há espaço para isso. A cabeça de Liam fica apontada para as cortinas fechadas e há velas atrás dele, colocadas em altos candelabros. Não consigo ver bem o rosto dele de onde estou sentada. A madeira do caixão é inclinada para baixo, corta o volume de sua face ao meio. Dá para ver uma depressão no osso onde devem estar os seus olhos, mas não me levanto para ver se essa depressão está corretamente preenchida, ou se as pálpebras estão fechadas. Esses altos e baixos de osso são tudo o que quero ver dele no momento, muito obrigada.

A poltrona e o sofá foram empurrados, mas a sra. Cluny, que fez uma pausa para rezar, escolheu sentar numa das cadeiras duras trazidas da cozinha. Kitty está de plantão junto à parede dos fundos, para o caso de algum visitante ficar indecentemente sozinho com o corpo, para o caso de o corpo ficar indecentemente sozinho. Ela olha para mim, quando me apóio no braço do sofá, e gira os olhos. Depois de um minuto, vem até mim e diz, baixinho:

— Você vai ficar?

— Não — respondo. Ela não entende. A coisa toda está terminada para mim agora, está mais que terminada. Só quero a porcaria enterrada e fora da minha frente.

Digo:

— Vou pedir para Ita ou para alguém. Não. Eu não posso. Tem as meninas.

— Ah, as meninas — ela diz, ligeiramente alto demais.

— É, você sabe. As meninas.

E realmente Rebecca está na sala de repente, andando de costas para mim até bater em meus joelhos.

— Onde está seu pai?

Quando olho, vejo Emily balançando nas maçanetas da porta com os olhos fixos no caixão e o sapato chutando a tinta.

— Quer parar com isso? — digo.

Ela não pára.

— Quer *parar* de deixar marcas de pé na porta da vovó?

Então me dou conta de onde estamos.

— Tudo bem — digo a ela. — Ele morreu. — Que não é, quando penso a respeito, a coisa mais confortadora que eu podia dizer.

Num súbito movimento de saia xadrez e cabelo cor de areia, Rebecca está de volta à porta e as duas somem. Escuto a risada delas no hall, depois a corrida escada acima, embora não devessem estar correndo para o andar de cima. Sinto uma onda de raiva de Tom, que insistiu em trazer as crianças, mas não se dá o trabalho de cuidar delas, nem mesmo com um corpo na casa, e depois alguém aperta o botão de *mute* outra vez e levo algum tempo para perceber que Kitty foi embora e que eu sou a única Hegarty viva na sala. Não sei quanto tempo isso dura, mas sinto como um longo tempo, localizo a histeria sussurrada das meninas pela escada — amarrada a elas onde quer que elas vão e amarrada também a esse lixo na sala da frente. Nos fundos da casa é denso o som de gente que eu não quero encontrar, então fico onde estou e resolvo não reclamar.

Então é assim que Ernest me encontra quando entra pela porta, direto do avião. Ele é tão incontroversamente ele mesmo: levo alguns minutos para deixar de vê-lo, meu irmão mais velho, e voltar a observar a aparência que tem nos dias de hoje. Ele está bem, eu acho. A roupa é um pouco triste, mas acima da japona e da calça de poliéster está sua cabeça, grande, saudável e cada vez mais bonita ao longo dos anos. É a cabeça de vovô Charlie, observo, que brilha na luz, e as duas grandes mãos de vovô Charlie que agarram uma das minhas, e quando me levanto e Ernest me puxa para si, não sei se aquilo é um abraço de padre ou de avô — sem seios de qualquer forma: meus pequenos seios não se interpõem nesse abraço.

Como ele consegue fazer isso?

É o seu trabalho. Meu irmão tem um coração treinado; compaixão é um músculo para ele; e inclina a cabeça quando você fala. Mal olha o caixão, mas avalia, em vez disso, a expressão de meus olhos. Depois se vira ligeiramente para o corpo.

— Não diga para os outros que estou aqui, está bom? — ele pede. — Não ainda. E com um aceno de cabeça me manda para fora da porta. E é claro que é por isso que eu tenho ódio dele, sim, em toda a sua *candura* sacerdotal, essa tapeação. Porém, Ernest sempre foi bom comigo, enquanto eu crescia. Havia a distância certa entre nós dois.

No hall, me chegam ao ouvido as vozes da cozinha: um áspero tom americano que deve ser de Ita. E a mulher de Mossie calando seus filhos perfeitos.

Eu me viro e subo para encontrar as minhas.

— Rebecca! Emily!

A escada é estreita e mais íngreme do que eu me lembrava. Dá para ouvir o som do riso delas, acima de mim, como crianças escondidas nos galhos de uma árvore, mas quando chego ao patamar elas desapareceram.

Faz muito tempo que não subo aqui. Era o andar das meninas: Midge, Bea e Ita nos fundos; eu, Kitty e Alice na frente, com uma vista das cerejeiras, dos fios pretos inclinados e de um poste de luz branca. Não parecia pequeno, na época. A mala de Kitty para só um dia está em cima da cama, as outras duas camas estão nuas. Emoldurando a janela há um emaranhado de estantes e portas de pequenos armários que meu pai construiu para nós de móveis brancos pré-fabricados. Sobraram uns livros escolares numa prateleira; nenhum deles em inglês, talvez por isso não tenham sido jogados fora. *Das Wrack*, de Siegfried Lenz, e contos de Guy de Maupassant, um deles chamado "La Mer", no qual, pelo que me lembro da escola, um marinheiro armazenava seus braços cortados num barril de sal para levá-los para casa. Os livros parecem mais surrados do que lidos, mas nós os lemos, sim:

Tá Tír na nÓg ar chúl an tí
*Tír álainn trína chéile**

Eu me viro e encontro as meninas na porta.

— Vamos, para baixo as duas. — E aquelas meninas, que nunca fazem nada do que eu mando, viram-se e seguem na minha frente pela escada. Lá embaixo, Rebecca pega minha mão

---

* "Há uma terra da juventude atrás da casa/ Uma terra linda de todas as formas." Tradução livre, a partir do inglês, de versos do poeta irlandês Seán Ó Ríordáin (1916-1977).

e me puxa para a cozinha, como um gigante perdido que ela encontrou no hall.

Havia uma coisa que Mossie fazia com a mão da gente. Ele apertava os ossinhos até você gritar, atritando os nódulos um contra o outro, para lá e para cá. Ele está ali na cozinha, parado ao lado de Tom junto à mesa: os dois profissionais do pedaço, conversando de homem para homem. *Por que homens nunca se sentam*, eu penso, e me dou conta de que as cadeiras estão lá com o corpo. Olho em torno. Ita está com as costas apoiadas na pia. Ela parece menor. Até o rosto dela parece menor, talvez seja a luz da janela atrás dela que a reduza assim. Mas está muito bem conservada, e sinto, ao beijá-la, um enjôo pela carne cerosa da sala ao lado.

A seguir os gêmeos estão me abraçando um de cada lado, como fazem, sempre deliciosos e difíceis de encontrar. Olho em torno em busca de Kitty e a vejo lá fora no jardim, fumando. A misteriosa Alice não está. Provavelmente louca, penso de repente. A misteriosa Alice provavelmente sempre foi louca.

Os filhos de Midge se juntam num bando e eu olho agradecida para eles, mas Bea me dá uma olhada e joga o cabelo por cima de um ombro.

Tudo bem. Tudo bem.

Vou até onde minha mãe está sentada e fico ao lado da aba da poltrona dela enquanto uma vizinha termina de dizer as palavras rituais.

— Claro. Muito obrigada. Claro.

A vizinha, a sra. Burke, está muito abaixada, contando algum grande e particular segredo no ouvido de mamãe, alisando a mão dela, sem parar.

— Claro — mamãe repete. — Obrigada. Claro.

Quando a sra. Burke segue adiante, eu avanço para beijar minha mãe.

Aconteceu. Ela ficou assistindo à televisão os últimos dez dias, esperando alguma coisa que agora chegou bem e de verdade. Ela foi, como dizem, "atropelada". Como por um caminhão. Não resta muita coisa dela.

Sempre vaga, mamãe está agora completamente apagada. Olho nos seus olhos e tento encontrá-la, mas ela guarda o que quer que tenha sobrado de si lá no fundo. Ela observa o mundo desse lugar distante e deixa que tudo aconteça, sem saber bem o que é. É difícil dizer o quanto ela assimila, mas há uma paz nela, sim.

— Ah. Olá — ela diz para mim e há uma espécie de amor nebuloso em sua voz: por mim, pela mesa posta com comida, por todos que estão ali.

— Mamãe — digo, curvo-me e beijo seu rosto. E embora ela nunca tenha sido boa em beijar e ser beijada, ela agora não recua de mim, mas posiciona o rosto como uma debutante, para receber o bico infantil dos meus lábios. Desconfio que ela se esqueceu inteiramente de mim, mas então ela pega minha mão, segura achatada entre as suas mãos leves e levanta o rosto em minha direção.

— Vocês sempre foram grandes amigos — diz.

— É, mamãe.

— Sempre foram ótimos um com o outro, não foram? Sempre foram grandes amigos.

— Obrigada, mamãe. Obrigada.

Sinto a mão de Tom quente na base de minha coluna. Ao menos penso que é ele, mas quando viro a cabeça ele não está ali. Quem me tocou? Endireito o corpo e olho para todos. Quem me tocou? Quero dizer isso em voz alta, mas os Hegarty, as esposas dos Hegarty e os filhos dos Hegarty estão a certa distância de mim: eles se mexem e falam, e continuam comendo, sem perceber nada.

— Você está bem, mamãe? — pergunto, para me despedir.

— Preciso ver as crianças — ela diz.

— O quê? — pergunto. — O quê?

— As crianças — ela repete. — Preciso ver as crianças.

— Estão no andar de cima, mamãe — eu digo. — Não. Estão aqui. Vou procurar, mamãe. Vou encontrar as crianças para você.

Então, Tom aparece finalmente, realmente, ao meu lado. Ele se abaixa para pegar a mão de minha mãe numa comiseração sem palavras, depois se endireita para pegar meu cotovelo outra vez e me conduzir pelo resto da sala.

— Entrou lá?

— Ele parece... — diz Tom. E se detém. — Não é ele.

— Eu não saberia realmente — digo.

A força dos dedos de Tom em meu braço. Eles são muito cheios de si, os dedos dele. Não me deixam nenhuma dúvida. Este é o homem que vai me comer daqui a pouco, para me lembrar que ainda estou viva. Por enquanto, diz:

— Ele está parecendo um agente imobiliário.

— É a camisa — digo.

— Ah. Essa hora chega para todo mundo.

Então as crianças entram: Rebecca, Emily e Róisín, que é a mais nova de Mossie, tantas vezes vista, tão poucas vezes ouvida. Tão bonitinha. Ela pára na minha frente e balança a barriguinha de um lado para outro.

— Vai cumprimentar a titia? — pergunto. — Vai dizer oi, ou vai guinchar feito um ratinho? Cui, cui.

Cutuco a barriguinha dela com minhas velhas mãos de bruxa. Então endireito o corpo e digo para Tom:

— Mamãe disse que precisa ver as crianças.

— Está certo.

— Vá se foder, você — eu digo.

— O quê?

— Por que ela *precisa* ver as crianças?

— Bom — diz Tom.

— Não é para isso que servem as crianças — digo, bem feroz. E ele me dá um olhar de súbito interesse, e depois vira as meninas pelos ombros e as empurra na direção da avó delas.

— Vão dar um beijo na vovó, vão.

As meninas param na frente de minha mãe. Existe a possibilidade de Emily efetivamente limpar a boca na frente dela: Emily não gosta de beijos molhados, ela diz, só dos secos, "como os do papai". Nesse caso, não há troca de fluidos. Minha mãe levanta a mão e a coloca na cabeça de Rebecca, depois vira-se, bem formalmente, e faz a mesma coisa com Emily, que recebe o gesto de olhos arregalados.

Assisto a essa configuração como se fosse de uma grande distância. É como se eu não tivesse relação com nenhum deles. Mas há um rugido no meu sangue também.

— Então para que elas servem? — Tom pergunta.

— Elas não *servem* para nada — respondo. — Elas simplesmente existem.

E estou sendo sincera.

Rebecca volta até mim. O rosto dela está cheio de lágrimas não derramadas e eu a levo para fora um pouquinho. A outra sala está ocupada com o caixão, de forma que não temos lugar nenhum para ir além da escada, onde nos sentamos enquanto minha doce filha oscilante chora no meu colo por uma coisa que ela não entende. Então ela endurece um pouco.

— Quero ir para casa — diz, ainda com o rosto baixo.

— Daqui a pouquinho.

— Não é justo. Eu quero ir para casa.

— Por que não é justo? — pergunto. — O que é que não é justo?

Ela está ofendida, em sua juventude, pela proximidade da morte. Está estragando a sua idéia de fazer parte de uma banda de garotas, talvez, ou pelo menos é o que eu penso, com um súbito impulso de levá-la até o caixão e fazê-la ficar de joelhos, obrigá-la a pensar nas Quatro Últimas Coisas.

Nossa. De onde é que isso veio? Tenho de me acalmar.

— Não tem nada a ver com você, certo? As pessoas morrem, Rebecca.

— Eu quero ir para casa!

— E eu quero que você seja um pouco grandinha aqui. Tudo bem?

E assim vai.

— Eu nem gostava dele — ela diz, num choro final, terrível, e isso me faz dar tanta risada que ela pára de chorar e olha para mim.

— Nem eu, querida. Nem eu.

Emily saiu da sala para me procurar, seguida por Tom. Então nos levantamos, batemos o pó e nos viramos, mais uma vez. Estou com minhas filhas e meu marido ao meu lado, e volto para mais uma reunião de família; cada uma delas compreendendo sanduíches de presunto com as cascas removidas, manteiga, salada de repolho de supermercado e salgadinhos de queijo e cebola no lado do prato. Há salsichas de coquetel e quadrados de quiche, salada de frutas para Mossie, que reclama da gordura trans. Há biscoitos Ritz com patê de salmão e um camarão único em cima, outros com uma pitada de salsa em cima do queijo cremoso. Há homus para Kitty ou Jem, seja lá qual dos dois que seja vegetariano esta semana, formando um trio de pastas com guacamole e *taramasalata*. Há o meu salmão defumado e a lasanha de Bea e uma fantástica geléia de pacote tremendo em tigelinhas de vidro, feitas por minha mãe com calada determinação e deixadas para endurecer na noite de véspera.

Não há vinho.

Não, estou mentindo. Dessa vez, pela primeira vez, talvez em honra da prodigiosa bebedeira de Liam, há duas garrafas em cima da mesa: uma de tinto, outra de branco. Todo mundo sabe que estão ali e ninguém, mas ninguém, vai bebê-los. Mossie tenta servir um copo para a sra. Cluny, que quase bate nele com a bolsa. "Não, não, eu não poderia", ela diz. "Não, absolutamente, não."

É uma maravilha ter quase quarenta anos, acho, e partir para o refrigerante de laranja.

Jem entra para resgatar algumas cadeiras da sala ao lado, e Bea passa as bandejas, colocamos as coisas em movimento. Durante algum tempo, tento manter as crianças sob controle, depois não me importo mais. Encosto-me na parede e fico olhando a família comer.

Quando éramos jovens, Mossie sempre insistia que a mastigação fosse silenciosa. Ele não se importava de sentar conosco, dizia, e nós podíamos conversar o quanto quiséssemos, mas não ia tolerar o barulho da comida sendo amassada em nossas bocas, e qualquer arroto, até o menor arzinho, nos garantia uma porrada na cabeça. Ele ficava de olhos na mesa durante toda a refeição, mas era rápido e cego. Não sei por que a gente agüentava aquilo, devia ser divertido, na verdade, mas olhando minha família consumir as comidas funerárias, de certa forma vejo de onde ele saiu.

Ernest, o celibatário, é particularmente terrível de se ver. Até minha mãe come com súbita voracidade, como se lembrasse como fazer isso. Alguma onda de reconhecimento a faz voar de um biscoito Ritz para o seguinte, ela passa na frente das pessoas e elas ficam, por um breve instante, aflitas. As vizinhas pegam um pouco em seus pratos e colocam na mesa, e aí, depois de um momento, perdem as estribeiras e caçoam de todos. Um homem que eu lentamente reconheço como irmão de meu pai está se servindo com dedos pesados. Ele trabalha com pragmática rapidez, gostando da variedade de pequenos quitutes, preocupado em botar uma boa quantidade de comida para dentro antes do anoitecer.

Papai era de County Mayo, o que quer dizer que saiu de County Mayo quando tinha dezessete anos. Liam era muito sentimental com o Oeste da Irlanda, mas não acho que papai fosse, e eu também não sou. Mas sou sentimental com meu tio Val, ou pelo menos descubro isso. Olho para ele, pensando que, se olhar com bastante intensidade, minha infância vai aflorar para encontrá-lo. Além disso, quero ver que tipo de homem ele é, agora que conheci outros homens, pelo mundo afora.

Val é um fazendeiro solteirão de seus setenta anos, e por isso pode, com todo o direito, ser meio louco. Mas parece bem esperto. E inteligente. Ele faz uma coisa de cada vez, isso é que é notável nele. Limpa os dedos num guardanapo de papel e procura um lugar para o colocar, depois, como não encontra, amassa o papel e segura com firmeza por baixo da beira do prato vazio. Depois, olha para um ou outro de nós como se quisesse adivinhar nossas vidas: o jeito como fluíram e o jeito como vão acabar. Tio Val adorava finais. Gostava especialmente de suicídios. Costumava nos contar sobre as casas dos vizinhos, quem tinha se matado com um tiro e quem havia usado uma corda. Contou a Liam uma história sobre um homem daqui que, quando a mulher se recusou a fazer sexo, pegou uma faca de cozinha e se castrou na frente dela.

— A pistola toda — disse. — A máquina de tiro inteira.

— Tio Val — digo, apertando sua mão, e penso que eu era capaz de ter um ataque de pânico só de sentir o cheiro do seu terno.

— Veronica, não é? Eu sinto muito. Ele era um grande rapaz. Acho que era o meu favorito.

— É — respondo.

— Era muito boa companhia, sempre.

— É.

Eu gostava de meu tio Val, percebo, desde que tinha seis anos de idade.

— Ele sempre gostou de visitar o senhor — digo. — Gostava mesmo.

— Ah, bom — diz Val. — A gente faz o que pode.

E então me ocorre que eu não fui a única que tentei salvar Liam: aquele homem também tentou, e aquele homem, empacado lá na sua fazenda em Maherbeg, sempre se sentirá culpado de não ter conseguido. A palavra "suicídio" está no ar pela primeira vez: o jeito de todos nós fracassarmos. Então, obrigada, Liam. Muito obrigada.

Ita estende a mão para trás e pega um copo de água que havia posto na pia. Isso está me intrigando a noite inteira: por que ela está colocando o copo ali? Então percebo que não é água, é gim. Incrível. Ela parece igual a quando eu cheguei, embora seu rosto esteja um pouco mais inchado e duro. Tem também a ver com o nariz dela, que, sem dúvida, tem uma forma diferente, e mais americana. Ita está olhando para todos nós com indisfarçada raiva. Talvez por sermos tão feios. Embora eu não possa reclamar, por causa de minha própria reação à visão das bocas Hegarty se mexendo com a comida.

Enquanto isso, Tom está conversando com Mossie outra vez. "O único sadio de verdade, da família inteira", ele diz para mim, anualmente, em algum momento por volta do Natal. E é verdade, quando olho para ele, meu irmão parece muito normal, tem um bom emprego e uma boa esposa, nos manda um bom relatório contando como sua pequena família vai indo. "Boas-vindas para o bebê Darragh!" Verdade seja dita, Mossie não fez nada psicótico durante vinte anos. Mas mesmo assim, *ha ha*, diz Liam na sala ao lado, enquanto Tom, meu marido profissional, entabula com Mossie, meu irmão profissional, alguma conversa política sobre a maneira como o país está melhorando e melhorando. *Ha ha porra*, diz o morto na sala ao lado.

Eu quero ficar bêbada. De repente. É uma coisa calamitosa de se desejar, mas é inegável. Quero me livrar das minhas filhas e do meu marido para poder ficar bêbada para valer pelo menos uma vez, porque Deus sabe que nunca fiquei realmente bêbada antes. E lá está Kitty rolando os olhos para mim, do outro lado da sala. Ita! Escorrego para o lado da pia (porque alcoólatras são sempre úteis quando a gente quer se divertir).

— Precisamos de uma garrafa de alguma coisa. Tem uma garrafa, para depois?

E Ita diz, entre dentes:

— Vou dar uma olhada.

Há um movimento na sala. Está na hora de mudar, ou ir embora. Tenho de falar com as meninas de Midge, depressa, antes que vão embora com as crianças, os bebês, os pequenininhos. Minha sobrinha Ciara está grávida de cinco meses e o rosto dela está violentamente manchado por causa do calor.

Pego seu antebraço e ela agarra meu pulso, porque mulheres grávidas precisam tocar e ser tocadas e minha expressão, eu sei, é bem ardente quando digo:

— Está dormindo? Você conseguiu comprar a cama nova?

Ciara esfrega a barriga, depois segura em mim com outro adejar de mãos.

— Nossa, a vida num futon — diz ela.

— Esse seu marido — eu digo. — Devia levar um tiro.

— É por causa das costas dele.

— Sei, sei — e nós duas damos risada: sujas, como se estivéssemos falando de sexo.

Tom está ao meu lado, gostando daquilo tudo. Me viro para cumprimentar tio Val, que está sendo levado, bem assustadoramente, pela sra. Cluny, para ficar na sala ao lado. Quando Ciara vai sair, Tom organiza sua sacola de fraldas e ajeita Brandon, o pequenininho dela. Depois se volta para mim.

Ele diz:

— Lembra quando você estava grávida da Rebecca e não queria ir ao cemitério? Era o enterro de quem? Você não queria ir de jeito nenhum porque dizia que a criança ia nascer torta.

— *Cam reilige.*

— O quê?

— É assim que se diz. Em irlandês.

— Você é uma coisa engraçada — ele diz.

— É — digo eu. — Sou uma graça.

Cam reilige, que é irlandês para *a distorção do túmulo.*

Então me afasto dele, sentindo, uma vez mais, a sombra de uma criança em mim, o mergulho do futuro em minha barriga, negra e aberta.

Ponho a mão no ventre. É como uma dor, quase.

— Bom, pelo menos funcionou — diz Tom, ainda no meu ombro. — Ela tem um belo par de pernas.

Não preciso de você para me dizer isso. Viro para dizer isso a ele, *não preciso de você para me dizer isso,* mas em vez de ver meu marido, vejo apenas o círculo de seu olho se abrir. Se quisermos outro filho, ele está esperando por nós agora. Consigo quase enxergar isso. Então não é só culpa dele, o sexo que acontece depois. Não é totalmente culpa sua que eu não goste da coisa *em termos de sexo*.

Ele balança a cabeça para mim.

— Vou levar as crianças. A hora que quiser. Volte a hora que quiser.

— Não me espere acordado — eu digo.

E ele diz:

— Pode ser.

Foi no funeral de minha irmã Midge, na verdade, e eu estava imensa como uma baleia. Minha sobrinha Karen tinha dado à luz um mês antes de mim, aos vinte e um anos. Me lembro de estar sentada na igreja e olhar o bebê pequenininho, úmido, arrulhando no ombro da mãe, uma tiara branca na pequena cabeça novinha. Anuna (todos os netos de Midge tinham nomes tolos) está vestida agora com um caro casaco vermelho, fofo, um deslumbramento de menina, com o detestável olho Hegarty: frio, feroz e azul.

— Boa noite, Karen. Cuidado com essa aí.

Eles estão piscando uns para os outros pela sala agora, azul para azul, enquanto estranhos e figurantes vão saindo. Bea ergue mamãe da cadeira.

— Você está muito cansada, mamãe.

— Estou.

— Venha aqui, eu levo você para cima.

— Certo.

— Depois levo uma xícara de chá.

Mas ela quer fazer uma coisa antes de ir. Mamãe escapa das garras de Bea e vai até a mesa. Pousa ambas as mãos na madeira, de forma que todo mundo sabe que tem de parar de falar. Em sua voz mais suave, mais delicada, ela diz:

— Ele teria ficado orgulhoso de vocês todos.

Sabemos que ela está falando não de Liam, mas de nosso pai. Ela misturou os funerais. Ou isso, ou então todos os funerais agora são o mesmo funeral.

— Ele *está* — ela diz, com horrível convicção. — Seu pai está muito orgulhoso de todos vocês.

Bea a faz virar e sair da sala.

— Isso mesmo, mamãe.

— Boa noite — ela diz.

— Boa noite, mamãe — respondemos, num pequeno refrão familiar.

— Boa noite agora.

— Durma bem, mamãe.

— Descanse um pouco.

— Boa noite, boa noite — tudo fora de ritmo, como as primeiras gotas de chuva.

— *Coladh sámh* — diz Ernest, junto à porta, e ela se vira para ele para receber uma bênção, que meu irmão (o hipócrita mentiroso filho-da-puta padre apóstata e ateu) não hesita em dar (e em irlandês, ainda por cima), e ela parte feliz. Pelo menos "feliz" é a expressão do rosto dela. Feliz. Ela está satisfeita com as pessoas que gerou. Está feliz.

Ficamos um momento em silêncio depois que ela se vai. Mossie senta-se. Ita toma um gole da sua água, depois revira a boca para baixo, em alguma resposta à silenciosa conversa que está conduzindo dentro da cabeça. Kitty acende um cigarro, o que irrita um pouco todo mundo. E eu penso: *Nunca contei a verdade a mamãe. Nunca contei a verdade a nenhum deles.*

Mas o que eu deveria dizer? Trinta anos atrás, um homem morto pôs a mão dentro da braguilha da calça de um homem ainda mais morto. Há outras coisas, sem dúvida, para se falar. Há outras coisas a serem reveladas.

Como o quê, porém? Como o quê?

Começo a ajudar Bea a lavar a louça, enquanto Kitty traz uma pilha de pratos para a pia.

— O que você está fazendo? — Bea pergunta para ela.

— Tirando os pratos — diz Kitty.

— Ah.

— O quê?

— Ah. Não, por favor. Por favor, continue tirando os pratos.

— Vá se foder.

— Não, tem sempre uma primeira vez.

— Ah, *vá se foder.*

— Bom, tire os restos primeiro, tá bom? Tire os restos, tá? *Tire os restos* e empilhe aqui.

Kitty levanta o prato acima da cabeça como se fosse despedaçar no chão. Ninguém olha. Ela segura o prato no alto um longo momento, depois, com um meneio de cabeça, leva a coisa, cerimoniosamente no alto, até a lata de lixo. Vai raspar os restos, mas aí não consegue se segurar e joga tudo no lixo, prato, comida, tudo.

— Meu Deus! — grita, olhando a faca que ficou em sua mão, como se estivesse com sangue pingando. Olho para o teto: mamãe ainda está circulando lá em cima.

— Meu DeusmeuDeusmeuDeus! — diz Kitty. Joga a arma assassina na lata e sai depressa para o quintal para terminar o cigarro.

— Bea — eu chamo.

— O quê? — Bea diz, muito feroz, enquanto recolhe a louça da lata. — *O quê?*

E eu sei o que ela quer dizer. Ela quer dizer: *De que serve a verdade para nós agora?*

Ita vem da sala do corpo e bate uma garrafa de uísque esquisita no meio da mesa de pinho amarelo.

— Foi só o que eu achei — diz ela. A garrafa tem um nome irlandês engraçado. Parece um pouco decorativa.

— Eu iria até a loja de bebidas — Jem diz, com uma voz miúda.

— Não, não. Não se preocupem.

Abrimos a garrafa mesmo assim e servimos em copos onde o líquido assenta, grosso e doce. Esse ritual é estranho para nós porque embora os Hegarty todos bebam, nós nunca bebemos juntos.

— Olhe os escorridos que ficam nisto aqui — diz Ivor, sacudindo a garrafa e colocando contra a luz. Provamos, pensamos um momento, e de repente Jem pega as chaves do carro e sai debaixo de uma chuva de grandes notas e instruções acerca de vinho branco e tinto. Os Hegarty tiveram um dia longo.

Bea, ainda amuada, assume o primeiro turno na sala da frente, enquanto o resto de nós fica na cozinha, vagabundeando, conversando. Ernest examina os armários: um pouco intensamente demais, na verdade, enfia o dedo num velho chutney de manga, cheira a mostarda. Mossie dá algum palpite sobre a mesa de pinho, enquanto Ita lhe faz companhia, encostada no balcão central, imobilizada demais pela bebida para lavar um prato.

É como um Natal no Hades. É como se estivéssemos todos mortos, e está tudo bem.

Um a um nós terminamos e nos sentamos, prontos para abrir o vinho quando chega. E quando ele efetivamente chega, não brindamos ao morto, mas meramente bebemos e conversamos, como pessoas comuns fariam.

Fala-se um pouco da misteriosa Alice, também da aparição surpresa de tio Val, que parece tão aprumado.

Então, Ivor fala que está pensando em comprar alguma coisa em Mayo.

— O quê? — diz Kitty, que está virando uma irlandesa de teatro com a bebida. — Um pedaço do velho lar?

— Bom, talvez não exatamente lá.

— Meu Deus — Kitty olha em frente, como se visse o lugar. Ela precisa de um ângulo de ataque. Nós todos precisamos. Conversamos um pouco sobre taxas de juros e vôos para o aeroporto Knock.

Então, Ernest diz bem tranqüilo:

— Não tem muito dinheiro por lá.

— Bom, acho que é essa a idéia — diz Ivor. E se dá conta de que já está com um pé atrás.

— Não sei — digo. — Eu jamais conseguiria fazer essa merda turística de "não é tudo lindo?" e "não somos todos maravilhosos?".

Kitty explode.

— Tio Val poderia viver um mês com o que você pagou por esse paletó. Quanto custou essa porra desse paletó?

— Além disso, você é gay, seu idiota — diz Jem. — Maherbeg é onde os homens gays vão para se suicidar com um tiro no celeiro.

— Ah, então é lá — diz Liam. Eu começo a rir e viro para olhar para ele, mas ele não está ali. Ele está morto. Está estendido na sala ao lado.

Acontece um silêncio, tão rápido quanto o clique de uma porta que fecha.

— É um lindo paletó — eu digo.

— Obrigado — diz Ivor, tentando entender o que está acontecendo. Ele nunca foi chamado de "gay" por um membro da família. Nunca, nem uma única vez. Assim como a garrafa no meio da mesa, isso só acontece em outros lugares.

Mossie levanta as sobrancelhas e mergulha a cara no copo. Ainda abaixado, diz:

— É o quê? Paul Smith?

— Ahn... — Ivor faz, conferindo o bolso interno. Como se não soubesse.

Também não falamos de dinheiro: a idéia de um de nós, mesmo um tio, poder ser pobre ou rico, ou que isso importe. Alguma coisa aconteceu com essa família. O nó está se afrouxando. Então, Ita se levanta nas pernas traseiras e dá um coice.

— É — ela diz. — Que lindo paletó.

Lá vem. Ita está bebendo há tanto tempo que já ficou sóbria, e lenta, e violenta. Ela tem alguma terrível revelação a fazer e eu me pergunto o que poderá ser. *Você nunca me disse que eu era bonita.* Ou algo pior: *Você roubou minha melhor tiara em 1973* (e roubei mesmo). Pecados de família e feridas de família, o infindável cutucar de alguma coisa cujo nome achamos difícil de encontrar. Nada disso é importante, apenas comum, *Você arruinou minha vida* ou *E eu então?* porque com os Hegarty uma declaração de infelicidade é sempre uma declaração de culpa.

— O quê? — eu pergunto. — O quê?

Com o que quero dizer: *De que nos adianta a verdade agora?*

— Vou sentar com Liam — diz Ita, afinal, porque os Hegarty também adoram um bocadinho de superioridade moral. Ela toma impulso para longe da mesa num bom ângulo para chegar à porta. É o gim que ela quer, eu me dou conta. A grande saída era só uma desculpa para ela sair e beber escondido.

Pego a garrafa, em pânico, e me sirvo de mais um copo. Liam bate no nariz olhando para mim. Mas como Liam está morto, tenho de fazer o gesto por ele. Então, bato no nariz, três vezes.

— O quê? — diz Kitty.

— O nariz — respondo.

— O quê?

— Ita. Mexeu no nariz.

— Ah, faça o favor — diz ela.

— O arrebitado — eu digo. — O arrebitado.

— Eu concordo com você — diz Ivor, mal-humorado agora que perdeu sua casa de campo.

— Como se chama aquilo? — diz ele. — "Retroussé"? Mossie diz:

— O quê. É isso. Que vocês. Estão falando?

— Do nariz Hegarty — diz Kitty. — Ita mexeu no nariz dela.

— Eu acho mesmo — diz Mossie.

— O quê?

— Acho mesmo. Que é o nariz dela. Nessa altura.

E rolamos de rir, por alguma razão.

Quando a risada termina, Kitty e Mossie ficam olhando um para o outro em lados opostos da mesa. Já basta, eu penso. Não posso fazer o número Mossie além de todo o resto. É, ele batia na gente, Kitty. Eu tinha quinze anos. Ele batia em todos nós.

Me levanto para ir à toalete e encontro Bea na porta.

Ita assumiu o seu turno com o morto. Ela está encostada à moldura da porta quando passo; um copo de água grossa na mão. Ela está chorando. Ou só vazando, talvez. Ela não se volta quando subo a escada. Por trás, parece linda. Por trás, parece a Lauren Bacall.

Vou ao banheiro, faço xixi, lavo as mãos e olho no mesmo espelho do armarinho que refletiu minha face durante trinta e tantos anos. O revestimento prateado de trás está descascando nas beiradas. *Não é de estranhar*, penso. E me viro para ir e enfrentar todos de novo lá embaixo.

Quando saio do banheiro, a porta de minha mãe está aberta, só uma fresta.

— Bea? — diz a voz dela pela fresta. — Bea?

— Não, mamãe, sou eu.

Vou até ela. Quando abro a porta inteiramente, descubro que ela já voltou a se sentar na cama, estranhamente, como um vídeo que foi colocado em *fast forward* e depois pausado.

— O que você quer, mamãe, está tudo bem?

— Achei que você era Bea — ela diz.

— Não, sou eu, mamãe. Quer que eu chame a Bea? É isso que você quer?

Mas ela não consegue se lembrar direito.

— Vamos. Para a cama, mamãe. Deite — e ela obedece como a menina boazinha que sempre foi. Ela dorme de lado, eu noto. E ainda deixa bastante espaço na cama.

— Foram todos embora agora — ela diz, depois que se acomodou no travesseiro.

— Não foram, não, mamãe.

— Todos embora.

— Eu estou aqui, mamãe. Quer que eu fique sentada aqui com você? Que eu fique um pouco?

Não há cadeira no quarto. Me empoleiro aos pés da cama por um momento, esfrego o tornozelo e o pé de minha mãe através das grades.

Heh he, ela respira, como um mulher que chora. *Hó*, exala.

Heh heh. Hó.

Heh heh heh. Hó.

E assim, espasmodicamente, ela adormece, comigo sentada no aroma de sua vida: creme Nivea, Je Reviens e velhice; e o cheiro de meu pai também, ainda minusculamente ali, na lã chamuscada do cobertor elétrico, talvez, e na cola ligeiramente rançosa que prende o papel às paredes.

Descubro que estou chorando. Minha mãe não está dormindo, mas olhando para mim. Os olhos dela, espiando por cima da beira do cobertor, são grandes e jovens.

— Desculpe, mamãe. — Me levanto para sair.

— O que foi?

— Nada — digo, debaixo daquele olhar inteligente e agudo, que ainda não sabe bem direito quem sou eu.

Na porta, não olho para ela quando digo:

— Lembra de um homem na casa da vovó?

— Qual homem? — Ela estava esperando uma pergunta. E não gosta dessa.

— Nenhum homem em particular. Só um homem na casa da vovó, que costumava nos levar doces na sexta-feira. Como ele se chamava?

— O proprietário?

— Era ele?

— Eu sempre chamei de proprietário — ela diz. E me dá um olhar mais direto.

— Por quê?

— Porque ele era.

E aflita de repente, ela levanta as cobertas, gira as pernas para a beira da cama, o corpo ilegível debaixo da camisola deslizando para lá e para cá enquanto ela se empurra para a beira do colchão e começa a circular. Vai até a porta do guarda-roupa, abre e fecha de novo. Volta para a cama, depois aperta os olhos espiando o alto do guarda-roupa, para o caso de haver alguma coisa lá.

— Não sei — diz ela. — O que você está me falando?

— Nada, mamãe.

— O que você está falando para mim?

Olho para ela.

Estou falando que, no ano que você nos mandou embora, seu filho morto foi molestado, quando você não estava lá para consolá-lo ou protegê-lo, e esse abuso foi suficiente para colocá-lo num rumo que termina no caixão lá de baixo. Era isso que eu estava falando, se você quer saber.

— Eu gostei dos doces, só isso, mamãe. Volte para a cama agora. Só me lembrei dos doces, mais nada.

Porque um amor de mãe é a maior piada de Deus. E além disso: quem pode dizer qual é a primeira causa e qual é a final?

O murmúrio de vozes fica mais forte na cozinha lá embaixo, e há risos, seguidos do bater da porta dos fundos. Kitty outra vez, saindo furiosa.

— Não sei.

Mamãe senta na cama de novo. Está cansada agora. Não gosta de ninguém agora.

— Eu não sei onde estão — diz ela. — As coisas da casa: estão em algum lugar alto. Numa prateleira. Eu não sei.

Mas eu a pego pelos ombros e a levo de volta, para deitar na cama.

— Vou chamar Bea para você.

— Isso — diz ela.

— Vou chamar agora.

Mas não vou.

Fecho a porta e, no patamar, olho em torno. Vou até o quarto das meninas mais velhas e olho em cima dos guarda-roupas, abro os armários, depois saio de novo e faço a mesma coisa em meu antigo quarto. Subo na cama de Alice na luz amarela e fraca e pego uma caixa de biscoitos marcada com "Papéis" com a letra fraca e floreada de minha mãe. Estou procurando o que ela não conseguiu encontrar, mas as únicas coisas que há na caixa são documentos do tipo mais arbitrário, certificados de crisma, o diploma de Dança Irlandesa de Kitty; o Discurso Público de Ernest no Feis Maithiu; meu diploma, o que é bem estranho: minha bela nota B da NUI; o Certificado de Dispensa de Liam muito útil para ele agora. Parece que mamãe guardava qualquer pedacinho de papel que fosse grosso, enrolado e inútil. Repasso a casa na cabeça, me perguntando onde estão as coisas importantes, as certidões de nascimento e atestados de óbito, fotografias, contratos e testamentos. Eu sei onde ela os guarda, penso, de repente, e coloco a caixa debaixo da cama.

Mas eu importunei os fantasmas. Eles estão na frente da porta do quarto agora, como os fantasmas de minha infância um dia estiveram; estão atrás da mesma porta. A história deles está ali, no patamar de Griffith Way, me esperando mais uma vez.

Quem são eles?

Ada primeiro, pragmaticamente morta. Uma coisa velha e magra, ela é o tipo de fantasma que está sempre virando para o outro lado. Ada só continua sendo morta. O passado é uma poça em torno de seus pés.

Charlie está ali também, bamboleante e marrom. Charlie, que não tinha maldade dentro de si e no entanto fazia tudo de mau: más dívidas, promessas quebradas, mau sexo com balconistas de loja, donas de casa e atrizes ocasionais. Querendo que sua sorte voltasse, embora sua sorte estivesse sempre virando e sua sorte fosse sempre a mesma. Charlie não pode assentar na própria morte enquanto ele não devolver tudo para Ada, seu único amor verdadeiro.

Esses são os meus pesadelos. Isso é o que eu tenho de atravessar para descer.

Viro a maçaneta da porta e Nugent é um deslizar de horror no patamar. Ele se locomove como um cheiro pela casa. Nugent brinca com a irmã dele, Lizzie, agora que estão os dois mortos. Eles se beijam e se consolam. Eles não respiram; o emaranhado e o serpentear de suas línguas não tem fim, sem ar, frio.

Atravesso o meio metro de carpete que leva à boca dos degraus. Despenco por eles, um passo de cada vez. Tenho nove anos de idade, tenho seis anos de idade, tenho quatro anos outra vez. Não consigo pôr a mão no corrimão, no caso de tocar alguma coisa que eu não entenda. O interruptor de luz lá embaixo parece se afastar, por mais depressa que eu vá. Quem foi que apagou? Por que a luz do hall está apagada, quando há um corpo morto na casa?

O último é o pior. Meu tio Brendan de meias até os joelhos e calça curta. Está parado no hall, na frente do quarto dos gêmeos, o quarto onde o bebê Stevie morreu, e sua cabeça de meia-idade está cheia a ponto de estourar com todas as coisas que ele tem para dizer a Ada, que ela não vai ouvir ele dizer. Os ossos de Brendan estão misturados com os ossos de outras pessoas; então há um torvelinho de almas murmurando e gemendo debaixo das roupas dele, elas podiam sair num bramido, se ele desabotoar a braguilha; se ele abrir a boca, elas vão escorrer por cima dos seus dentes. Elas não dão descanso a Brendan, as almas dos esquecidos que têm de estar sempre rastejando, inchando e choramingando lá dentro; ele coça abaixo do colarinho e um punhado delas se solta. Os únicos lugares livres delas são seus desagradáveis olhos azuis, então Brendan apenas olha quando estendo a mão para o interruptor e sua camisa se ergue, as orelhas dele vazam os mortos loucos e inconvenientes.

A luz se acende. Como sempre acendia. E meu corpo, na luz, tem misericordiosos trinta e nove anos. E quando entro na sala da frente está tudo em silêncio. Não há fantasmas com o corpo de Liam, nem o dele mesmo.

As velas queimaram quase inteiras.

Na alcova do canto, perto da janela, há uma peça de mobília, acho que chamávamos aquilo de "penteadeira", uma coisa de carvalho pesado, com prateleiras para vidros e vasos e armários embaixo. Examino esses armários e não encontro nada. O que quer dizer que encontro tudo: um velho liquidificador dentro de um saco plástico transparente acinzentado pela idade; os poucos

78 rotações de minha mãe do improvável momento em que ela se casou, *Jussi Björling* e *Furtwängler Conducts*; um jogo de Scrabble; um jogo chamado Corrida de Camelos; um saco de tela com quatro pedaços lascados de frutas artificiais; uma atadura para o joelho de alguém que parou de sentir dor há muito tempo. Então, penso em olhar em cima. Lá, atrás dos relevos ornamentais que coroam essa coisa, há algumas caixas. Empurro de lado a toalhinha e subo em cima, alcanço uma caixa de sapatos verde. Puxo para mim e pego, luto com a tampa, na qual meu pai um dia escreveu a palavra "Broadstone". Desço então e fico em pé no chão, abro a coisa.

Dentro, há um saco de papel pardo que contém algumas fotografias, todas em sépia. Alguns recibos, do tipo que se recebia em velhos açougues. Um grosso maço de cartas escritas em papel azul com marca d'água do tipo que seria usado por uma mulher, e presas com um elástico de borracha. Uma série de cadernos de capa dura, cada um deles circundado na vertical por uma volta do que Ada costumava chamar de "elástico de calcinha", independentemente do uso que fizesse dele.

São livros de aluguel; começando em 1937, quando minha mãe tinha oito anos. O primeiro cobre quinze anos, a doze semanas por página. A mesma caligrafia, a mesma caneta-tinteiro, linha após linha de sextas-feiras, um pequeno aumento anual. A caneta-tinteiro continua no segundo volume e só muda para esferográfica no terceiro, quando o aluguel passa a ser pago mensalmente, e a caligrafia começa a mudar para lápis, ou esferográfica vermelha, ou qualquer coisa que estivesse à mão.

O que essas coisas estão fazendo em nossa casa de Griffith Way, dezesseis ou mais anos depois que a mulher morreu? Por que alguém guardaria essas coisas, a não ser por medo: do longo braço da lei, ou dos Fiscais do Imposto de Renda, investigando a situação de impostos de uma casa que nunca foi sua e que sua mão não possuiu antes de você? Tenho, ao colocar aquilo de volta na caixa, a doentia sensação do que aqueles cadernos significavam para o possuidor, os direitos que eles podiam prover.

Não há nada posterior a 1975. Páginas de nada. Me pergunto se foi nesse ano que Nugent morreu. Levanto o caderno e viro para mostrar para Liam e vejo Ada nos vigiando da porta. Lá está ela. Eu a vejo não como "vi" os fantasmas da escada. Eu a vejo como veria uma mulher de verdade parada na luz do hall.

31

Não sei como foi o resto da noite, ou quem ficou com o corpo de Liam depois que fui embora; desconfio que Bea e Ernest ficaram a maior parte do tempo, embora em certo momento, Kitty me conta, eles todos tenham ido para a sala e jogado cartas. Ao que parece, armei uma boa confusão na sala da frente. Mossie enfiou um comprimido amargo na minha boca e Ernest tentou rezar comigo, mas eu me recusei terminantemente a descansar na minha velha cama de infância, então me puseram num táxi e me mandaram para casa.

A casa vazia, quando cheguei, foi um alívio abençoado: acho que essa é uma das razões por que eu fico andando durante a noite agora, para ter aquela sensação de novo; de sanidade e vazio, de uma sala dando lugar a outra sala com tamanha facilidade. Então fiquei acordada um pouco e depois subi e fiz sexo com meu marido pela última vez.

Não era essa a minha intenção, claro. Depois da noite que eu havia passado não era minha intenção fazer sexo de espécie alguma, muito menos sexo terminal. Mas me enfiei na cama e Tom estava acordado. E estava apaixonado por mim. Realmente não há por que repassar as razões dele: ele me amava; ele queria me puxar de volta para a terra dos vivos. E talvez, naquele momento em que minha alma estava tão macia, ele quisesse deixar sua marca nela também. Meu corpo não estava macio, porém. Me pergunto como ele não percebeu isso. Mas eu fiz todos os movimentos e abri caminho para ele e não pedi que parasse. Então eu devo ter querido aquilo também, ou alguma coisa semelhante.

Ele não viria a saber o que aconteceu em Griffith Way depois que foi embora. Ou que eu tinha tomado um comprido (talvez tenha sido o comprimido?), ou que eu me sentia como um pedaço de carne que acabaram de cortar no açougue, do mesmo jeito que ele se sentia terrivelmente emocionado. Se é que era assim que ele se sentia. Ele estava muito ansioso e vibrante, de qualquer forma, como se estivesse com os nervos todos acesos.

Depois, ficamos deitados face a face, enterrados até o pescoço no edredom. Dissemos muita coisa um para o outro, ao longo dos anos. Ficamos judiciosamente em silêncio.

Mas ele precisa falar mais uma coisa.

— Desculpe — ele diz.

Penso, por um momento, que está se desculpando pelo sexo horrível, depois penso que está se desculpando pela morte de meu irmão, mas na verdade ele está se desculpando por alguma infidelidade que cometeu no passado (ele vai me contar, dentro de um momento, como ela não significava nada), e isso será tão tolo e insuportável naquelas condições (eu havia, me dou conta, ido para a cama com meu marido pela última vez) que eu me adianto a ele e digo:

— Tudo bem. Tudo bem.

Ele toma isso como um sinal. Tudo vai melhorar. Ele diz que eu devia fazer alguma coisa. Um trabalho de meio período, ou dar uma caminhada diária pelo menos: que tal uma casa, que tal comprarmos uma casa e fazer a decoração, agora que o mercado está num bom momento? Dinheiro. Eu podia ganhar dinheiro. Ele diz que tem estado ocupado demais, que teve uma pequena baixa, mas que agora estamos com a cabeça fora da água, que está tudo acabado. E eu pergunto:

— Uma *baixa*?

Ele diz:

— Por favor, não vamos entrar nisso de novo.

Eu digo:

— Um dia, suas filhas irão para a cama com homens como você. Homens que vão sentir ódio delas, só porque vão ter desejo por elas.

E ele diz:

— O quê? — Ele diz: — Meu Deus, você sabe. É só que...

— Só que o quê?

Acho que ele quer dizer que há um limite para essas coisas, para o modo como os homens pensam. Que aquilo não é real. Que ninguém morre por causa disso, por exemplo. Acho que ele quer dizer que ficar assim lado a lado é tudo o que temos.

E provavelmente tem razão. Então fico ali, lado a lado com ele, e contemplo a ferida que se abre nas minhas partes pudendas.

— Coisa engraçada, corpo de homem — eu digo. — Eles nunca mentem. Isso deve ser prático. Quer dizer, ser construído para dizer a verdade. Liga / desliga. Gosta / não gosta. Quer / não quer.

E Tom diz:

— Não exatamente. — Não existe uma ligação confiável — ele diz — entre o que você quer e o que o seu pingolim quer; às vezes, é difícil distinguir.

— Ah — eu digo, viro de lado e durmo.

32

Era Ita na porta, claro, eu devia saber. Não era Ada, era minha confusa irmã mais velha; psicótica de bebida e com um nariz novo idiota.

Foi disso que me lembrei, quando a vi.

Me lembrei de uma imagem. Não sei como chamar isso. É uma imagem na minha cabeça, de Ada olhando pela porta da sala boa em Broadstone.

Tenho oito anos.

Os olhos de Ada estão passeando por meu ombro e minhas costas. O olhar dela é lívido descendo por um lado de mim; é como uma luz: minha pele endurece debaixo desse olhar e se franze como uma queimadura. E do outro lado de mim está a bem-vinda escuridão de Lambert Nugent. Estou encarando essa escuridão e caindo. Seguro o velho pênis dele em minha mão.

Mas é uma imagem muito estranha. É construída com as palavras que a contam. Penso no "olho" do pênis dele, apertado contra meu próprio olho. Eu o "puxo" e ele se ajoelha em minha direção. Eu o "chupo" e de sua boca projeta-se um estreito doce de limão.

Isso vem de um ponto da minha cabeça onde palavras e ações estão mutiladas. Vem do comecinho das coisas e não sei dizer se é verdade. Ou não sei dizer se é real. Mas fico enojada com o mal dele mesmo assim, sufocada por ele; os triângulos de negrume debaixo das duras maçãs do rosto dele, a maneira como sua cabeça vira devagar e os olhos giram, ainda mais devagar, em suas órbitas, na direção da luz da porta que se abre com minha avó ali parada.

Não acredito no mal, acredito que somos humanos e falíveis, que fazemos coisas e estragamos as coisas de um jeito bem normal, e mesmo assim sinto o lento virar do rosto dele para a porta como mau. Uma bolha vai subindo dentro do velho peito dele: um inchaço de alguma coisa que pode, a qualquer momento, explodir por sua boca aberta e manchar o mundo inteiro.

O que é?

Não consigo me mexer. Essa lembrança ou sonho eu não consigo nem deter, nem fazer com que continue. Seja o que for que sai de sua boca, me horroriza, embora eu saiba que não pode me fazer mal. Vai encher o mundo, mas não deixará marca. Já está ali na umidade do carpete e no cheiro de Germolene: a sensação de que Lamb Nugent está caçoando de todos nós; que mesmo das paredes verte o seu furtivo intento. O padrão do papel de parede repete *ad nauseam*, enquanto quente, reto e, mesmo com a distância de todos estes anos, adorável, o negócio sem palavras de Nugent pulsa, orgulhoso e chorando em minha mão.

E a palavra que ele diz quando a porta se abre toda e sua boca se abre toda, a bolha que explode no O de sua boca é a palavra única:

— Ada.

Claro.

Ela está contente com o que vê? Aquilo a agrada?

Quando tento me lembrar, ou imaginar que me lembro, de olhar para a cara de Ada com a porra de Lamb Nugent espalhada em minha mão, só consigo conjurar um vazio, ou o rosto dela como um vazio. No máximo, há uma palavra escrita no rosto de Ada, e a palavra é "Nada".

Esse é o momento da culpa. O ar viciado da sala boa de Ada vai passar por ela, parada na luz amarela do hall. Esse é o momento em que nos damos conta de que o tempo todo foi culpa de Ada.

O filho louco e a filha vaga. As vagas gravidezes sem fim da filha, a maneira como cada um e todos os netos dela deram vagamente errado. Esse é o momento em que perguntamos o que Ada fez (porque deve, com certeza, ter sido alguma coisa) para trazer tanta morte ao mundo.

Mas não a culpo. E não sei por que não a culpo.

Devo a Liam o esclarecimento das coisas, do que aconteceu e do que não aconteceu em Broadstone. Porque há efeitos. Sabemos disso. Sabemos que acontecimentos reais têm efeitos reais.

De um jeito que acontecimentos irreais não têm. Ou quase reais. Ou seja qual for o nome que se der aos acontecimentos que se desenrolam em minha cabeça. Sabemos que existe uma diferença entre o corpo bruto e o corpo imaginado, que quando realmente se toca alguém, alguma coisa real acontece (mas não, de alguma forma, aquilo que se esperava).

O que quer que tenha acontecido com Liam, não ocorreu na sala boa de Ada, independente da imagem que tenho na cabeça. Nugent não teria sido tão burro. O abuso aconteceu na garagem, entre os carros e pedaços de motor que Liam adorava. E Nugent foi horrível com meu irmão de modos mais comuns também fora dali. Ele tinha seus sadismos, tenho certeza, e seus métodos. Tenho de deixar isso claro porque, em algum ponto de minha cabeça, em alguma obstinada parte de mim esquecida por Deus, penso que desejo e amor são a mesma coisa. Não são a mesma coisa, não têm sequer uma ligação. Quando Nugent desejou meu irmão, ele não o amou nem no mais mínimo.

Até aí eu sei.

Eu poderia acrescentar que Liam também deve ter desejado Nugent. Ou desejado *alguma coisa*.

— Olhe só o que você fez — diz Nugent, enquanto eu choro e dirijo meu carro pelas ruas iluminadas da cidade de Dublin. — Veja só o que você fez.

Quanto a mim, acho que eu não gostava da garagem e nunca ia muito lá. Embora, quando saio dirigindo essas noites, quando paro o carro, me ponha a pensar, entre outras coisas, se não teria acontecido comigo também.

O que posso dizer? Acho que não.

Acrescento isso à minha vida, como um acontecimento, e penso, bem, sim, isso poderia explicar algumas coisas. Acrescento isso à vida de meu irmão e é crucial; é o ponto onde toda causa encontra todo efeito, o X do problema. De certa forma, explica demais.

São essas as coisas que eu efetivamente, positivamente, sei.

Sei que meu irmão Liam foi molestado sexualmente por Lambert Nugent. Ou provavelmente foi molestado sexualmente por Lambert Nugent.

Há coisas que eu não sei: se fui tocada por Lambert Nugent, se meu tio Brendan ficou louco por causa dele, se minha mãe ficou boba por causa dele, se minha tia Rose e minha irmã Kitty escaparam. Em resumo, não sei mais nada a respeito de Lambert Nugent; quem ele era ou como Ada o conheceu; o que ele fazia ou deixava de fazer.

Sei que ele podia ser a explicação para todas as nossas vidas e sei de uma coisa ainda mais assustadora: que nós não precisávamos ser lesados por ele para sermos lesados. Era o ar que ele respirava que agia assim sobre nós. Era o fato de sermos obrigados a respirar seu ar de segunda mão.

Eis-me de volta a St. Dympna, com tinta na língua. Liam não dorme mais comigo. Uso minhas calcinhas na cama. Depois me levanto e calço as meias. Me levanto e visto minha blusa de escola; é importante estar pronta, quando chega a hora. Me levanto de novo e arrumo meu uniforme de ginástica nas costas de uma cadeira. Coloco os sapatos debaixo da cadeira e deixo tudo de cara para a porta, de forma que quando eu me vestir não tenha de me virar para sair do quarto. Então me levanto, dobro minha faixa e coloco dentro do sapato direito, com a ponta desdobrada pelo chão. Depois me levanto e visto o uniforme de ginástica, depois caio no sono.

Na escola, tenho cheiro de cansaço. As pregas de meu uniforme de ginástica estão todas amarrotadas. Não consigo deixar para trás a sensação dos lençóis, lençóis fantasma se esfregando e deslizando contra meu uniforme de ginástica, enquanto meu corpo vira na cama, para cá e para lá. Liam dorme do outro lado do quarto, Kitty dorme ao meu lado. Na minha frente, a irmã Benedict nos ensina a rezar:

> Agora que vou dormir
> rogo a Deus minh'alma ouvir
> se eu morrer, não acordar,
> rogo a Deus minh'alma levar.

33

— Se a Virgem Maria subiu ao céu de corpo e alma, como Ela faz para ir ao banheiro?

— O que foi que disse? — papai está olhando para mim.

— Se a Virgem Maria subiu ao céu de corpo e alma, como Ela faz para ir ao banheiro? — e meu pai me bateu antes que eu visse a mão dele se mexer.

Isso foi pouco depois que voltamos da casa de Ada, quando eu estava no auge de minha fase religiosa.

Me lembro disso porque, embora meu pai costumasse bater nos filhos o tempo todo, mais ou menos, nunca era nada pessoal. Ele podia dar três tapas de uma vez e deixar passar o quarto, ou podia marchar no meio de nós com a mão levantada, enquanto corríamos, gritando em volta dele. Com os meninos era diferente, claro, mas no geral meu pai nos batia não porque ele estivesse encarregado de cuidar de nós, mas porque nós estávamos. Por isso é que, quando Kitty começa a fazer acusações sobre surras, eu não posso concordar inteiramente.

Mas BOC! o som de todos os sons sugado do lado da cabeça, um silêncio amortecido que é cortado, depois de um momento, por um anel de dor que se expande.

A pergunta quase vale a pena, porém, porque é a única prova que tenho de que nosso pai era católico. Claro que mamãe era católica, do jeito que as mães são, mas durante catorze anos eu me sentei ao lado ou atrás de meu pai num banco de madeira, todo domingo de manhã, e durante todo esse tempo nunca vi os lábios dele se mexerem. Nunca ouvi meu pai rezar alto, nem o vi baixar a cabeça, ou fazer qualquer coisa que pudesse ser considerada perceptível se ele estivesse sentado no andar de cima de um ônibus. Quando era hora da comunhão, ele se levantava na ponta do banco enquanto passávamos na sua frente, como se deixasse passarem os carneiros pelo portão, mas não sei se ele jamais nos acompanhou até a mesa da comunhão. Meu pai comparecia à igreja em sua função oficial. Se eu fosse procurar sua crença pessoal, não saberia por onde começar, nem em que parte de seu corpo ela podia estar.

Penso nele na hora da remoção de Liam. Ernest está no altar com sua roupa de padre. O bordado do peito tem um tema maia e ele está muito bem.

Os minguantes Hegarty estão sentados na fileira da frente por ordem de idade. Ernest nos conclama a orar e eu junto as mãos curtas de meu pai, brinco um pouco com elas em torno dos lábios dele, "Oh, Senhor", digo com a voz dele: mas falta convicção na coisa toda, o que quer dizer, convicção dele. Meu pai nunca foi religioso e não acredito que tivesse medo do fogo do inferno: então quando ele fazia o sexo que produziu doze filhos e sete abortos que aconteceram dentro do corpo de minha mãe (que agora está ajoelhada no fim da fila), era só isso que ele estava fazendo, sexo. Não tinha nada a ver com o que os padres lhe diziam ou não diziam, era apenas alguma coisa que ele precisava fazer, ou queria fazer; era só alguma coisa que ele sentia que merecia.

Ele amava a minha mãe de verdade. Existe sempre esse fato impalatável, o fato de que meu pai amava minha mãe e ela retribuía esse amor. Mas ele não a amava o suficiente para deixá-la em paz. Não. Meu pai, eu desconfio, fazia sexo do jeito que seus filhos bebem, o que quer dizer, como um contra-senso; não pelo prazer da coisa, mas sim para *parar* com tudo.

Isso é o mais próximo que consigo chegar do impulso que gerou a criança que agora jaz no caixão no centro do corredor. Liam, em seu caixão, é menino de novo. Ele não preenche nem três quartos do espaço interno. Os anos estão sendo metabolizados, até que ele mija o último ano parado na cerca do Basin em Broadstone, aos nove anos de idade.

Iupi!

Todos os filhos Hegarty estão com ressaca, inclusive o que está no caixão. É um tipo de sensação muito pacífica, muito preciosa; um inchaço dos sentidos, entre dor e calor. Liam é o que tem a maior de todas, claro, porque Liam finalmente se acabou de fato. Ele se entupiu. Liam finalmente perdeu a cabeça. Vai dormir com sua ressaca durante algum tempo.

No fim da fila, mamãe ficou transparente de doçura e sofrimento. Bea está ao seu lado, comparecendo à igreja em missão oficial, igualzinho papai fazia. Depois vem Mossie, que dá as respostas com clareza. O resto de nós resmunga ou fica quieto. De um lado de mim, Kitty está encolhida e ardente (mas ardente pelo *quê*, esse é o problema), enquanto, do outro, Ita está sentada, a cabeça igual a uma pedra.

Tento acreditar em alguma coisa, só porque sim. Recolho do ar algum absoluto, algum pensamento em expansão que vai se abrir dentro de minha cabeça como éter: Deus, ou o futuro, ou o bem maior. Baixo a cabeça e tento acreditar que o amor vai melhorar tudo, ou, se o amor não melhorar, as crianças melhorarão. Volto-me do elevado ao humilde e acredito, por muitos segundos seguidos, na pequenez e na necessidade de ser mãe.

Mas é tudo um pouco *bonzinho*, para uma Hegarty. Fé exige alguma coisa terrível para fazer com que funcione, eu acho: sangue, pregos, um pouco de angústia.

Então pego a minha angústia. Olho para o caixão de Liam e tento acreditar no amor.

Não é fácil.

Me lembro bem do amor de Deus, naquele ano na casa de Ada em que eu tinha oito anos e Liam nove. Me lembro disso claramente. A irmã Benedict nos disse para receber Jesus "em nossos corações" e eu recebi, sem problema. Confiro meu coração agora e descubro que ainda existe ali um sentimento de alguma coisa quente e batalhadora. Rolo os olhos por baixo das pálpebras fechadas e ocorre uma sensação de algo que se abre no meio da minha testa. O negócio do peito é como lutar por palavras e o negócio da testa é puro e vazio, como se todas as palavras já tivessem sido ditas.

É isso aí.

Fé. Eu tenho a biologia da fé. Só preciso é da matéria para colocar ali dentro. Só preciso é das palavras.

Depois que papai me bateu do lado da cabeça, eu me virei e me afastei em absoluto silêncio. Ele pode ter se sentido chocado consigo mesmo. E certamente me chocou. Mas a verdade era que eu não acreditava em céu na época, e nunca acreditaria. E quando eu pensava no inferno, o inferno era apenas muito quieto.

34

Eis Ada, sentada no sofá na sala boa em Broadstone. Está com um trabalho nas mãos, trabalho simples, devia ser alguma barra ou cerzido. Há uma menina de oito anos na sala, que sou eu.

Me lembro da curva das costas dela; das mãos, largadas no colo; os dedos a pegar e levantar as fibras do tecido. O sofá atrás dela é vermelho escuro, coberto com um emaranhado de almofadas, embora Ada não se encoste nelas. Os dois rolos turcos com pingentes na ponta, vindos do cenário de algum serralho do Gate Theatre; uma almofada redonda de veludo vermelho com babados soltos nas bordas, como o rastro de um fabuloso carro de pano; uma série de pequenos troncos, as capas feitas de um tecido metalizado estriado de roxo e marrom, como a casca de uma madeira teatral.

Ela se senta na frente daquilo tudo e se curva um pouco sobre o trabalho, a cabeça de vez em quando se afasta uma distância extra exigida pela idade avançada. Mas ela não me parece velha. Ela parece contente, inteira; parece completamente ela mesma. Vou sentar ao seu lado e ela acena com a cabeça ligeiramente em minha direção, e quando termina aquele ponto ou nó específico, estende a mão sem levantar a cabeça e esfrega os nós dos dedos em meu rosto.

— Olá.

É disso que eu me lembro.

Ninguém foi e ninguém veio. Charlie está em algum outro lugar, o sr. Nugent não importava, Liam e Kitty estavam fazendo lição de casa, talvez, na mesa da sala de jantar, e eu estava com Ada no altar de sua sala boa, o veludo vermelho das cortinas teatrais dando para a rua, e as fotos autografadas na parede, Jimmy O'Dee, as irmãs Adare, um desenho identificado como "Otelo" de um homem com cara marrom e um pé elegante, pontudo. Eram todos figuras de uma peça que estava acontecendo em algum outro lugar. E ali, fora de cena, era o lugar para estar, com Ada que não podia ser ninguém mais, mesmo que tentasse, que passava pela vida com uma perfeita civilidade; quieta, um pouco áspera às vezes, embora nunca tenha revelado a que ponto podia ser áspera. Sentada ali, inteira em si mesma, Ada costura. Seu passado está atrás dela, seu futuro é de pouco interesse. Ela marcha para o túmulo, em seu próprio ritmo.

E eu, presa por um momento pela imagem do pano em seu colo, observo um ponto mais, talvez dois, antes de me levantar e sair correndo da sala.

35

Os livros de aluguéis só começam em 1939, o que me faz imaginar, brevemente, que Charlie um dia foi dono da casa, mas a perdeu para Nugent numa aposta de cavalos. Duvido que isso possa ser verdade, mas essa imagem ainda perdura: Charlie lá em Leopardstown com Nugent como um corvo em cima dele no parapeito, com o rabo do casaco subindo no vento.

— Vamos lá — diz Charlie, desesperadamente despreocupado, entregando uma última tira de papel ao homem que ama sua mulher melhor, ou pelo menos com mais firmeza, do que ele.

— Na cabeça.

Mas Nugent não parecia um corvo, ele parecia um homem comum, disso eu me lembro, embora tudo que eu consiga me lembrar realmente dele seja a forma da orelha, um perfeito bulbozinho rosa brilhante, e de como se acomodava na bergère, numa sexta-feira na boa sala da frente.

Levo as meninas à casa de minha mãe um sábado, como passei a fazer desde que Liam morreu, e lhe pergunto, de um jeito bem simples, onde ela morava antes de Broadstone; em que casa viviam antes de se mudarem para a casa que eu conhecia.

— O quê? — ela diz, olhando para mim como se eu fosse uma estranha.

— Quando você era pequena, mamãe. Onde você morava quando era pequena?

— Virando a esquina — ela diz, e fica incomodada pelo fato. — Acho que nós morávamos virando a esquina.

O passado não é um lugar feliz. E a dor dele pertence a ela mais do que pertence a mim, acho. Quem sou eu para reclamar o passado como coisa minha? Minha pobre mãe teve doze filhos. Ela não conseguia parar de dar à luz para o futuro. Insistentemente. Doze futuros. Mais. Talvez ela tenha gostado de ter todos esses bebês. Talvez ela tenha mais passado a esclarecer do que a maior parte das pessoas.

As cartas que encontrei são em papel azul, com o timbre da Basildon Bond em marca-d'água. São talvez quinze no total, todas assinadas L. Nugent, ou Lambert Nugent, e cada uma mais banal que a outra. Há falhas e lapsos, nos quais leio raiva ou desejo. Eu faria isso, é isso que eu faço, mas elas são, no mínimo, intrigantemente mudas.

> Cara sra. Spillane,
> temo não poder oferecer nenhum abatimento sobre os seis xelins devidos desde a última Páscoa. O trabalho que a senhora mandou fazer no rodapé do hall foi realizado sem nenhum entendimento prévio, e não pode ser considerado como compensação. Espero receber o valor total quando do vencimento de seu aluguel.
> Atenciosamente,
> Lambert Nugent

> Cara sra. Spillane,
> creia que levarei em conta seus melhores interesses na questão da garagem dos fundos, que, de qualquer forma, dá para a alameda de trás.
> Atenciosamente,
> Lambert Nugent

> Cara sra. Spillane,
> a senhora sabe o que quero dizer. Quero dizer que o Natal não tem qualquer significação no esquema de coisas, que permanecem como sempre estiveram nessa questão.
> O homem da cisterna estará aí na terça-feira e <u>eu próprio</u> farei o pagamento dele.

Minhas recomendações a seu marido, o sr. Spillane.

Seu,

Lambert Nugent

Cara sra. Spillane,

quanto à questão dos sete xelins e seis pence, pode ser que seu marido receba depois do dia 5. Eu, porém, vou querer receber no dia.

Seu,

L. Nugent

Cara sra. Spillane,

não posso assentir com o que propõe na questão do aluguel. Ao sublocar para a sra. McEvoy, a senhora coloca-se em contravenção a todos os arranjos sobre esse assunto e tenho todo o direito, como poderá descobrir, de exigir um aumento ou procurar outro locatário, coisa que, como sabe, reluto muito a fazer. Estou em meus plenos direitos.

Esperando dar continuidade a um arranjo que seja conveniente a todos os envolvidos,

Seu,

Lambert Nugent

Cara sra. Spillane,

aqui está o recibo pelo teto do quartinho de despejo.

Seu,

LN

Cara sra. Spillane,

meu filho me disse que a senhora passou um grande susto e quero lhe enviar meus melhores votos de uma pronta recuperação. Não enviarei Nat na sexta-feira, mas irei pessoalmente, se me permite.

Atenciosamente,

Lambert Nugent

* * *

Embora Nugent é que tenha morrido primeiro, afinal.

Me parece que era uma relação de súbitas provocações e mesquinha crueldade. Posso estar errada: esse pode ser simplesmente o jeito de proprietários falarem com seus locatários. Mas há um clima de servidão nisso também; de Nugent trabalhando na garagem, que era propriedade dele, nos fundos da casa e indo depois para a porta da frente, que era propriedade dele, para bater. Isso torna o ritual de chá com bolachas uma coisa bem selvagenzinha, da parte dele, e muito charmosa da parte de Ada, ou, digamos, muito sexy, porque é assim que fica uma mulher que está com um pé atrás. Trinta e oito anos de tantos xelins por semana; a vida dela inteira driblando a mão dele. Trinta e oito anos *enrolando* Nugent com seus encantos femininos, enquanto ele sentava ali e aceitava, e gostava, porque achava que era seu direito.

E *ele a amava!* Digo eu, pobre tola que sou. *Ele devia amá-la!*

Mas quando se tratava de amor, Nugent era apenas insignificante; ele não tinha muito disso para desperdiçar. Tinha a casa, tinha uma esposa, mais ou menos, e fazia o que queria com as crianças que passavam. Até mesmo suas satisfações eram pequenas. Porque as crianças daquela época eram pouco importantes. Nós três Hegarty éramos claramente de *pouca importância*.

Quando Nugent via uma criança, via vingança, disso não tenho dúvidas, e uma via de escape para tudo; toda a tediosa questão de relações humanas que um homem tem de enfrentar para conseguir o que possa querer.

Pense nisso. A amargura do homem e a beleza do menino.

36

Uma noite, eu desisto de dirigir o carro de um jeito ou de outro e deixo que ele vá para onde quiser, que é o norte, como sempre, dessa vez passando a corcova do Howth Head, pela estrada da Swords, até Portrane.

Passo na frente do asilo e viro para o mar, depois paro no portão de um pequeno cemitério, onde, em meio a toda a sujeira, está a cabeça de meu tio matemático. Mais de cinco mil pessoas estão enterradas aqui, segundo Ernest, que conhece o padre local. Não me surpreende. Um cubo de pânico se eleva desses muros. O ar dos portões tem o mesmo zunido que se encontra debaixo de fios de alta-voltagem.

Paro um pouco e sinto meus cabelos se levantarem.

A lua está no céu. A distância, uma linha de espuma branca se desmancha na areia sem fazer nenhum som. O mar bate nas rochas abaixo de mim, agitado por contracorrentes e por alguma tempestade distante. Não há vento.

Paro ali e penso que não existe lugar pior para eu ir. Aquele é o pior lugar que existe.

Nesse caso, não é tão mau. Se esse é o máximo de loucura a que eu chego, então não é loucura demais. Minhas filhas não serão prejudicadas por isso; embora eu talvez tenha de mudar um pouco minha vida; sair mais, trocar o Saab.

O suplemento de imóveis desta semana, a pequena oferenda de Tom à mesa da cozinha, traz uma casa à venda na rua de Ada. Não é a casa de Ada, ou não ainda; mas todo mundo está vendendo e se mudando, a casa dela pode aparecer a qualquer momento. Eu era capaz de ficar à espreita da casa de Ada. Podia comprar essa casa da mesma rua, reformar e me entusiasmar, até chegar o dia, não muito distante, tenho certeza, em que estaria parada na sala da frente de Ada, levantando uma ponta do papel de parede, conversando com um bom arquiteto sobre o que botar abaixo naquele lugar. Vou usar um sóbrio conjunto de calça comprida com incríveis saltos idiotas e dar meus passos clique-claque pelas tábuas nuas, enquanto digo para arrancar o teto amarelo e as paredes viscosas; pôr abaixo a porta da sala da frente, mas guardar a pia Belfast da cozinha minúscula, por cima da qual, ao olhar pela janela dos fundos, aprendi a imaginar coisas. Vamos soltar exclamações juntos, eu e meu arquiteto, a respeito da pequena rosa do teto, e da linda lareira onde as coisas eram queimadas: cartas, recibos de apostas, gordura de porco, os cabelos da escova de cabelos de Ada que queimavam com um chiado. Vou pedir a ele para limpar o local com alguma coisa bem forte mesmo, não quero uma mulher com um esfregão, vou dizer, quero uma equipe de homens de macacão com tanques nas costas e aquelas mangueiras metálicas de alta pressão.

E a garagem, vamos transformar a garagem num estúdio, com claraboias e paredes brancas, e vou colocar piso de tábuas largas por cima do velho cimento. Carvalho.

— O que acha de carvalho? — vou perguntar.

Alugo a casa durante algum tempo. Vou ser boa com os locatários. E quando eu terminar. Quando eu for boa e terminar. Quando eu tiver raspado a merda do lugar e, de um jeito maravilhosamente limpo, mas antiquado, deixado a casa com cheiro de sabão para madeira e peônias, vou vender pelo dobro do preço.

Tudo bem, Liam?

Lá está ele. De pé, à beira da água, observando as ondas. Tudo bem?

Ele parece o figurante de um filme. Está usando um terno marrom folgado que jamais usaria na vida real, e um boné por cima do jovem cabelo preto encaracolado. Seus olhos de um azul irlandês ficam franzidos nos cantos enquanto ele olha a noite. Não está sozinho. Há um outro homem mais adiante, há um menino parado num promontório; em cada pico e promontório há vigilantes assim parados, observando o mar.

É como um anúncio de cerveja Guinness, mas ninguém se mexe.

No alto, um imenso avião baixa para aterrissar. O primeiro do dia, deixando uma trilha de geada ártica. Nova York, Newfoundland, Groenlândia, Portrane. São seis da manhã. Hora de eu voltar para casa.

Entro no carro e toco a chave, que ficou fria na ignição. É março. São quase cinco meses desde que Liam morreu. O bebê de Ciara, que cruzou com ele na porta, tem agora quase um mês. Meu último filho, aquele que posso ter com Tom, está ficando cansado de esperar. Viro a chave e ligo o carro.

Liam se volta e me olha ir embora. Ele não sabe quem sou eu, ou o que é o mar, ou que tipo de lugar pode ser Broadstone. Ele está repleto de sua própria morte. Sua morte o preenche como uma ameixa preenche a própria casca. Até seus olhos estão cheios. É coisa séria, estar morto. Ele gostaria de fazer isso bem. Ele se vira para evitar a luz perturbadora dos faróis do carro e dirige o rosto para o mar.

Volto para a estrada principal, mas o carro não vira na direção de casa. Vou para o aeroporto, em vez disso, e, depois de um breve momento, embarco num avião.

37

Suicidas sempre atraem muita gente. As pessoas se empurram: entopem as portas e se esgueiram pelos bancos de trás, se juntam na beira da igreja: elas aparecem por princípio, porque um suicida deixou todo mundo para trás.

Preferia que tivessem ficado em casa.

Paro no adro da igreja esperando o carro dos parentes chegar de Griffith Way. Tom está perseguindo Emily num banco. Rebecca está ao meu lado e não solta da minha mão. Fico contente de ter a distração de crianças no meio dessa gente, estranhos e amigos, que examinam minha cara e não me cumprimentam, pelo menos por enquanto. Me ocupo com as crianças, ralho com Emily e mando ficarem com o pai: ele vai ter de ser rápido para fazê-las passar pelo caixão no fim do corredor.

Uma mulher abre caminho na multidão e vem até mim. Eu a conheço de algum lugar, se conseguisse lembrar de onde talvez me ocorresse o nome e o que ela possa querer. Ela esteve chorando, isso é que é desconcertante. Qualquer um pode se derreter por sua causa, acho, quando você morre.

Ela é alta, pálida, de cabelo preto e isso deveria bastar, eu devia reconhecê-la por isso, e pelo ar ligeiramente devastado que tem, de uma mulher ao mesmo tempo ferida e delicada. Ela olha em torno, até me encontrar, eu sabia que era eu quem ela estava procurando, e vem até mim, abrindo caminho entre outras pessoas com uma desajeitada graça. Ela é toda quadril e ombros, numa capa cor de cogumelo e vestido bege de jérsei.

E então me lembro dela daquela horrível visita que Liam nos fez, aquela quando eu estava com a casa em reforma e não havia piso no quarto das meninas, uma hecatombe em meio à qual Liam chega com essa mulher que parece não ter opiniões sobre absolutamente nada. Nem mesmo sobre o que quer comer.

Não sei quanto tempo Liam viveu com ela ou dormiu na cama de solteiro dela, ou fez o que quer que tenha feito com aquelas garotas desastrosas. E não consigo, por nada deste mundo, me lembrar do seu nome. Mas me lembro de ter gostado um pouco dela, no momento em que foram embora para Mayo; com suas compridas mãos nervosas e a pele cheia de veias azuis, o cabelo num coque pendurado. Me lembro de ter esperança de que desse a ele algum descanso.

Ela está mais velha agora, embora a mesma sensação de mágoa tremeluzente esteja ali, enquanto as cores do vitral sobem por seu peito e puxam o canto de seu olho. Mas isso já passou quando chega a mim. Ela nivela o rosto com o meu e ele está cheio da história que ela tem para contar. Essa coisa está abrindo caminho por dentro dela. Não é, de forma alguma, culpa sua.

E ainda não consigo lembrar seu nome.

— Kitty foi buscar você? — pergunto. — É tão longe aqui.

E de repente me sinto muito irlandesa quando estico o braço para pegar sua mão entre as minhas e agradecer por fazer a viagem, ao lhe dar boas-vindas e permitir que lamente.

— Vai voltar para o hotel? Sabe onde fica? Quer uma carona?

— Cheguei agora — ela diz. — Acabei de chegar.

— Você soube? — pergunto, querendo dizer o suicídio, e ela balança a cabeça, como se isso fosse ligeiramente sem importância.

— Este é o Rowan — ela diz, pondo as mãos para trás para extrair uma criança de trás de suas pernas elegantes, e eu vejo, pela primeira vez, o filho de meu irmão.

Ele tem uma curiosa cabeça grande e o corpo inclinado para a frente e me dou conta, depois de um momento, que é porque tem apenas três anos de idade. Porque tem só três, quase quatro anos de idade, a cabeça gira lindamente no caule do pescoço quando levanta o rosto para me examinar, com os olhos azuis de meu irmão, embora, quando a mãe lhe diz para "cumprimentar", ele se encolha de novo para trás da capa de chuva dela. Ele espia e volta, e compreendo que tenho de brincar de esconde-esconde com essa criança. Tenho de me abaixar e oscilar de um lado e outro das coxas finas de sua mãe. E faço isso. Digo:

"Oi, Rowan", e "Você veio de avião?" Depois digo "Oi, Rowan", outra vez "Oi, molequinho", me perguntando como posso atrair ou induzir essa criança aos meus braços e, depois de algum tempo, a dar um beijo ou sentir o cheiro dela. Como vou roubar ou conseguir permissão para esfregar minha face na pele de suas costas e brincar com os ossos de sua coluna e dar grossos beijos na maciez de seus braços? Talvez com o tempo. Talvez eu consiga fazer isso com o tempo.

— Ah, ele é incrivelmente parecido — digo para a mãe, cujo nome, me dou conta, é Sarah. Eu sabia o tempo todo que esse era o nome dela.

— É — ela diz.

E o olhar que passa entre nós duas é um olhar de absoluta consideração.

— Gostaria de vir sentar conosco? — pergunto, indicando a frente da igreja, embora eu saiba que este talvez não seja o melhor momento para contar a notícia.

— Não — diz ela. — Ah, não. Desculpe, eu só dei uma entrada.

— Tudo bem — eu digo. — Vai voltar depois?

— Ah, acho que sim — diz ela. — Acho que eu devo.

— É, deve, sim. Deve.

O carro dos parentes chegou lá fora, mas descubro que não consigo sair de perto do menino. Me agacho e sorrio. Ele se esconde de novo. Estendo os braços e ele vai mais longe ainda. Ele sabe que minha necessidade dele é grande demais. E então, má pessoa que sou, digo:

— Depois, sabe, se você voltar junto com todo mundo, vai ter *baldes e mais baldes* de sorvete.

Dessa ele gosta, sim.

Lá vêm eles: minha mãe, pequena, redonda e oscilante pelo braço elegante de Bea. Mossie do outro lado, também alto e bonito, do jeito que profissionais podem ser bonitos; sua delicada esposa; seus três filhos perfeitos demais; Ita em marcha lenta; os gêmeos, Ivor e Jem, que se juntam e se separam ao longo de todo o corredor. Kitty, minha irmã mais nova, pára e pega minha mão de um jeito silenciosamente teatral. Quando me viro para sair, Sarah balança a cabeça para dizer que não vai desaparecer, que ela sabe quem é e por que veio até ali.

Eu me encaminho para a frente da igreja e me afogo na emoção, seja amor ou tristeza, que inunda meu peito. Meu rosto está fixo na máscara de uma mulher que chora, metade repuxado num gemido que a outra metade não permite. Não há lágrimas. Minha cabeça se volta para qualquer lado da igreja que seja contrário ao que está mais interessado em minha tristeza, só para mostrar isso para o outro lado. Aqui está. A lenta marcha dos Hegarty remanescentes. Não sei qual ferida estamos mostrando a todos eles, além da ferida de família. Porque, bem nesse momento, descubro que ser parte de uma família é o jeito mais aflitivo de estar vivo.

Tom se volta e quando vê meu rosto ele pára. Me conduz pela mão ao banco à frente dele e as meninas me seguem pelo outro lado.

— Tudo bem? — ele pergunta, e desliza a mão por cima da minha, enquanto Emily se vira para se pendurar em mim, ou, verdade seja dita, para acariciar meus seios enquanto finge admirar (ou me consolar, talvez) os botões forrados do meu casaco bom para funerais.

— Deixe sua mãe tranqüila — diz Tom.

Realmente. Fui tão tocada nos últimos dias. Cruzo as pernas ao lembrar do sexo que fizemos na noite do velório. Ou que ele fez. E espero a missa começar. Todo mundo quer alguma coisa de mim. E não tem nada a ver com o que eu possa querer, ou o que o meu corpo possa querer, seja o que for, Deus sabe que faz muito tempo que não sei. Ali estou, sentada num banco de igreja dentro de minha própria carne, manuseada, usada, amada e muito sozinha.

Na verdade, eu sei, sim, o que eu quero. Quero quem quer que tenha tocado a parte baixa de minhas costas na cozinha de mamãe para se declarar. Para dizer, mais uma vez, que ia ficar tudo bem. Porque senti o toque amoroso de alguém e me senti tranqüilizada, mas completamente, por isso, antes de me virar e ver que não havia ninguém ali.

Além disso, quero Rowan. Sinto desejo dele, não com lábios ou mãos, mas com meu rosto inteiro. Minha pele o deseja. Quero esfregar o nariz nele e sentir o cabelo fino fazer cócegas em meu queixo. Quero piscar meus cílios na bochecha dele.

Essa bobina de fantasia roda na minha cabeça ao longo de tudo o que se segue: a missa, o idiota do padre velho e as poucas palavras de Ernest no altar.

Liam nunca se interessou por coisas materiais, diz Ernest. Ele tinha um grande senso de humor.

— Meu irmão possuía uma fúria por justiça — diz ele, sem mencionar que isso podia, com a bebida, se transformar em chutar ônibus. Mas é tudo bastante bem-feito. As palavras são bastante bem ditas, enquanto atrás de mim meu grande segredo a ser em breve revelado grita: "Olá! Olá!" na pronúncia aberta do sul de Londres, lá no fundo da igreja.

Fazemos a coisa toda. Acompanhamos o caixão pelo corredor de novo e assim que saímos para o ar livre, digo para Tom:

— Lembra da garota? A garota que veio com ele da última vez, ou da penúltima?

— Que garota?

— Lembra da garota que não comia, que tinha uma cara estranha, quando a gente estava reformando?

— Não sei — diz ele.

— Ele era horrível com ela.

— Ah, sei. Essa.

— Ela estava grávida — digo. — Estava grávida na época.

— Dele?

— Ah, o menino não deixa dúvida — eu digo. — É o Liam. Totalmente.

Os Hegarty são detidos no adro, e apertam quinhentas mãos. Não conheço metade deles, e não me importa. Estou esperando que Sarah apareça para que eu possa puxá-la de lado e ver como fazer aquilo.

— Sinto muito pelo seu sofrimento.

— Obrigada.

— Sinto muito.

— É uma grande perda.

Todos se desculpando pelo fato de alguém que você ama ter morrido, quando o mundo está cheio de gente que você não ama.

— A gente se conhecia na escola — me diz um homem, se transformando enquanto duram as palavras, de um estranho de meia-idade no Willow da garrafa de vodca e do belo irmão mais velho. Ele está absolutamente igual e isso me confunde. Não consigo recuperar a imagem anterior ao homem de meia-idade, agora que sei quem ele é.

— Ah, Willow — digo, como uma colegial. O amor é uma coisa, mas existe no mundo tanta gente para se gostar e que nunca vemos.

É uma coisa inebriante, enterrar os mortos.

Espero até estarmos no hotel, e mesmo lá reluto em contar a notícia. Não posso entregá-la para Bea, dona de todos os Hegarty. Não posso expô-la à ironia de Ivor, nem à inteligência de Ita, nem às admiráveis *habilidades gerenciais* de Mossie. Preciso de uma criança para isso, ou uma criança adulta.

— Venha cá, Jem — digo para meu irmãozinho; o mais novo e o mais amado. E observo enquanto ele circula pelos outros; mamãe por último. Bea tenta fazê-la sentar-se, mas ela não quer sentar. Em pé, mamãe desabotoa o primeiro botão da blusa e, de olhos ardentes, tira o casaco, examinando em torno dela ao fazê-lo, presa na segunda manga. Descobre Sarah e o menino, quando Bea finalmente remove o que resta do casaco ainda em seu braço e se apressa na direção dela, corre até ela, para pôr as mãos nos ombros do menino, depois para alisar de ambos os lados o seu lindo rosto. Ela olha para Sarah, com uma terrível contração no olhar, e Sarah avança um passo, muito polida, para apertar a mão dela. Em seguida, como se nada disso tivesse acontecido, mamãe se vira.

É difícil descrever o efeito do menino no encontro dos Hegarty.

— Rowan? — dizem. — *Rowan.*

É como se nunca tivéssemos tido um filho antes. Ele tem os olhos Hegarty, dizemos, deliciados, como se isso não fosse uma maldição, e olhamos para ver quem é o ser humano que espia por eles dessa vez. É muito esquisito. Todo mundo quer tocar nele. Simplesmente, precisam: estendem o braço e ele se intimida; se encolhe até. Aquele que escolhe como abrigo seguro é, dentre todos, Mossie, que o senta em uma de suas pernas compridas e sacode, com força, *Upa upa cavalinho*, ameaçando derrubá-lo no chão. Mossie, que era para Liam um espelho escuro, adora o menino e o menino o adora. Os filhos de Mossie se juntam em torno e, pela primeira vez, vejo como são felizes; por isso são tão bem-comportados, com a mãe delicada e o pai que é *firme, mas justo*: eles têm contentamento.

Isso parece uma coisa incrível para observar a respeito de seu próprio irmão, depois de tantos anos. É quase tão incrível quanto o fato do filho de Liam. Talvez porque o acidente do filho de Liam seja fantástico demais para se considerar, no meio de uma sala de recepção de um hotel, nos subúrbios de Dublin, onde duzentas pessoas que eu mal conheço estão sentadas tomando sopa ou comendo melão, seguido de salmão ou carne de vaca.

Comemos tudo. Até a torta de maçã com sorvete. Não nos restringimos. Espalhamos fatias de manteiga em pão branco ruim e pedimos mais uma xícara de chá. Eu sou desordenadamente interessada em comida. Olho do meu prato para Rowan e baixo os olhos de novo para espetar um croquete de batata.

Há outras coisas para notar, sempre que tenho forças para tirar os olhos de cima do menino. Ivor conversando com Willow, o amigo de Liam, durante um tempo longo demais. Um olhar que é trocado entre eles e o padre, nada menos, que pega o casaco e os olha de novo, antes de sair pela porta. Ernest percebe esse último olhar também e toma nota. E lá está Ita sentada num ângulo reto com Ernest, com ambas as mãos em cima do seu antebraço e falando com o perfil dele, que tem aquele ar cansado, mortificado, de que me lembro da confissão. Alguém deu um microfone a Kitty e ela se levanta enquanto Mossie bate num copo com a faca. Ela então deita o microfone em cima da mesa e levanta o rosto para cantar, com absoluta doçura, a canção favorita de Liam:

> Em uma pausa nos prazeres da vida,
> contamos tanto pranto,
> nós, junto aos pobres, a bebermos ais;
> em nosso ouvido para sempre um canto:
> Ah, maus momentos, não voltem nunca mais.

Mas é claro. Essa coisa idiota. Tenho de apertar com força as pálpebras, tão súbitas e fortes vêm as lágrimas.

É o canto, o suspiro dos aflitos,
Maus momentos, maus momentos,
não voltem nunca mais.
Há tantos dias em minha porta jaz;
Ah, maus momentos, não voltem nunca mais.

Há um tênue consenso por baixo do coro, mas, por algum milagre, deixam que ela cante o verso sozinha: minha incômoda
irmãzinha, olhos inocentes voltados para o teto, a pegar cada
nota e pousá-la com ternura.

Nós a buscar beleza, riso,
e música leve e pura,
e junto à porta fitam figuras frágeis demais;
que mesmo caladas, seu olhar murmura:
Ah, maus momentos, não voltem nunca mais.[*]

Não fica um olho seco na casa. No joelho de Mossie,
Rowan fica indignado de ver a mãe enxugar as lágrimas.
— Cale a boca — ele diz de repente. Depois mais alto:
— Cale a boooca! — com seu lindo sotaque inglês e todo mundo
dá risada. Nunca estive num funeral tão alegre.
Empurro a cadeira e saio para procurar um cigarro.
Faz muitos anos que não fumo. Nós todos paramos,
de um jeito ou de outro, depois que papai morreu, então tenho

---

* Trecho de *Hard times come again no more*, canção folclórica norte-
americana, escrita por Stephen C. Foster em 1859. Regravada com
freqüência, já foi cantada por Bob Dylan, James Taylor, Johnny Cash
etc. A letra original: *Let us pause in life's pleasures/ and count its many
tears,/ While we all sup sorrow with the poor;/ There's a song that will
linger forever in our ears;/ Oh hard times come again no more.// 'Tis the
song, the sigh of the weary,/ Hard times, hard times,/ come again no more/
Many days you have lingered around my cabin door;/ Oh hard times come
again no more.// While we seek mirth and beauty/ and music light and
gay,/ There are frail forms fainting at the door;/ Though their voices are
silent,/ their pleading looks will say/ Oh hard times come again no more.*
(N. do T.)

de abordar uma das vizinhas com esse pedido estranhamente íntimo.

— Posso pegar um desses seus? Você se importa?

— Vá em frente. Vá em frente.

Eu vou, sento no salão e fumo. O cigarro tem o gosto do primeiro cigarro que fumei, sentada no colchão de Liam na galeria do jardim, em 1974.

38

No dia em que fica sabendo que Lambert Nugent morreu, Ada pede um café no Bewley: nada de mais, só um café com leite e uma fatia de torta, e o serviço da garçonete, e quando as coisas chegam, ela tira as luvas, com a mesma tremulante precisão que chamou a atenção de Nugent muitos anos atrás. Então, ele morreu. Ela bebe o café e corta a fatia de torta em pequenos pedaços que come, um depois do outro, até terminar.

Ada está preocupada com o aluguel, embora não precise se preocupar com o aluguel; ela se informou sobre o aluguel, anos atrás. Algum outro homem virá receber, algum homem por quem ela não sentirá nada, de um jeito ou de outro, e será o mesmo dinheiro e a mesma casinha, a mesma vida que ela vive lá dentro. Mesmo assim, ela sentiu que a casa se soltou, que os tijolos, telhas e as molduras de granito saíram navegando por um mar calmo e cinzento.

Acabou-se. Seja qual for a história entre eles.

O velho Nolly May.

Ou mesmo, como diziam às vezes, Nolly May Tangerina, do "Não toque em mim" da Bíblia.

E por que não? Por que ele não deveria ser tocado?

"Ele não é uma carta de baralho?", como ela costumava dizer de Lamb Nugent, depois deste ou daquele comentário, de alguma insinuação: o seu desregramento no açougue, ou a necessidade do Natal. "Ele é todo coração", ela costumava falar, com o que queria dizer que, no dia em que ele morresse, ela ia pedir uma sossegada fatia de torta no Bewley, e realmente curtir bastante.

Ada tem setenta anos de idade, o que, para um certo tipo de mulher, realmente não é ser velha. Ela está sempre em movimento e pode ter uns vinte anos pela frente (embora não tenha vinte anos pela frente), Ada não conta. Aos setenta, ela deita na cama, como nós todos, pensando no calor e na textura das mãos do último médico. Suas próprias mãos, que ela desembainha das luvas de couro preto, são magras e inquietas: um feixe de tendões, nós e ossos, como o cordame de um navio. Quem precisa de médico quando o corpo está ocupado se expondo através de você, para exibir suas partes operantes? Ada gosta de suas mãos, tem até um certo orgulho delas, foram tão espertas ao longo dos anos. Quanto ao resto de seu corpo, ela não se dá o trabalho de conferir, tendo há muito rompido com o espelho, que parece não lhe fornecer mais nenhuma informação útil, absolutamente nenhuma.

Mas suas mãos, quando ela mergulha a colher devagar, de forma que o café se persiga por dentro da crosta de açúcar, suas mãos prestaram bons serviços. Elas costuraram e descosturaram. Fizeram seu trabalho de inseto e transformaram, como uma formiga pode transformar, a superfície da terra.

E enquanto ela chupa a ponta pegajosa da colher, Charlie está ali na frente dela, curvado sobre o saco de papel, dizendo "Ah, confortai-me com maçãs" nas Corridas Fairyhouse, toda uma vida atrás.

Uma coisa muito protestante de dizer, ela pensa, de repente, citar o Antigo Testamento assim. E ela se pergunta, pela milionésima vez, se seu marido era o homem que ele dizia ser.

Se Ada havia chegado a algum tipo de conclusão nesta vida, era uma pequena conclusão. *As pessoas*, ela pensava, *não mudam, elas meramente se revelam.* Aplicava essa máxima, com plena satisfação, a políticos vira-casaca, a cônjuges infiéis e a garotos malcriados que davam certo no fim. Ela aplicava agora à memória de Charlie Spillane e ao seu verdadeiro coração, que só ficava mais intensamente e importantemente fiel ao dela ao longo dos anos. Se as pessoas só se revelavam com o tempo, então o homem revelado a ela em Charlie Spillane era incessantemente bom, só isso, com todas as suas evasões e seus arrependimentos, seu olho para uma potranca ou para uma superpule, a coisa que seu marido era havia sido marcada com maior clareza para ela, desde que ele morrera.

Era um grande mistério: a bondade.

Ada aperta a polpa do dedo nos últimos flocos de massa, mas não os coloca na boca. Esfrega fora os farelos, que caem no chão, e sente saudades do marido, e de todos os homens que conheceu e estão agora mortos. Cada um deixou uma qualidade; algo marcante e difícil de captar. Se Ada acreditava em alguma coisa, era nessa persistência, que as pessoas podem chamar de alma.

Nesse caso, Lambert Nugent não tinha alma, ou nenhuma alma que ela pudesse encontrar. Nugent era o tipo de homem que explodia com você; o resto do tempo ele mal estava presente. O jovem ardente, o homem trêmulo, a chama branca de sua velhice; ela havia visto cada uma dessas coisas em lampejos, o resto era uma escuridão de pequenas observações e olhares para outro lado, de coisas recolhidas antes de serem mostradas.

O que aquele homem tolo tinha a esconder?

À medida que Nugent envelhecia, sua boca ficava mais faminta pelos biscoitos dela, sua língua e garganta, todo seu aparelho gustativo era a coisa mais terna e vívida nele. Às vezes, Ada sentia que ele queria os biscoitos mais do que queria o aluguel, tal a boca que tinha para doces. Era tão criança. Talvez fosse esse o segredo: o fato de que ele tinha apenas e sempre cinco anos de idade. Ou dois.

Ah, Nolly May.

Uma certa mãe tinha muita coisa a explicar, ela pensa. O Senhor tenha piedade de sua alma (se Ele conseguir encontrar uma alma).

Ela toma um gole de café antes de terminar de mastigar e engolir a fatia de torta e isso a incomoda de repente. Ada detesta misturar as coisas na boca. Detesta misturar as coisas em casa. Mais e mais sua vida é assim, a cheirar as roupas da velha cômoda de gavetas e lavá-las mais uma vez, pela última vez. Mais e mais, ela lava as toalhas de mesa separadas das toalhas de banho, ou nem as coloca para lavar, mas as ferve no fogão.

Ela se levanta e organiza suas coisas, pensando, ao fazê-lo, no aneurisma que levou Nugent embora, se perguntando se houve dor: certamente não havia ali nervos para sentir a dor. Só que, evidentemente, o cérebro era *onde* ficava a dor, de certa forma, então talvez fosse o pior de todos os meios de ir embora.

E então ela sai para o troar e para as luzes da rua Grafton, com os ônibus passando depressa, e ao fazê-lo é uma criança de novo.

Ada com sua mala, no dia em que a mãe morreu.

Como ela se virou e levou a mala para fora da casa. E tudo que parecera impossível era possível afinal. Ela possuía o dote de pés, que pisavam um depois do outro de forma que ela conseguiu sair andando de lá, e tinha o dote de mãos, para abrir-lhe um caminho pela vida, e não olhou para trás.

39

Há um hotel no aeroporto de Gatwick onde uma pessoa pode viver pelo resto da vida. Dá para ficar lá até ser encontrado, e nunca o encontrarão: por que encontrariam? Dá para comer os croissants amanhecidos das bandejas deixadas nos corredores, lavar as partes íntimas na pia, pular de quarto em quarto enquanto o carrinho de limpeza vai passando.

Tem um spa. Vi isso quando me registrei. Voltei para as lojas do Terminal Sul e comprei para mim umas roupas boas. E comprei meias e calças lá também, e uma bolsa para guardar tudo, uma bolsa boa, bem descomplicada, naquele couro encaroçado, marchetado. E quando eu estava voltando, passando pela recepção com a chave do apartamento na carteira, me dei conta de que não sabia sair.

Há três restaurantes, pelo menos é o que me diz o anúncio no elevador, mas não vou a nenhum deles. Posso pedir uma salada caesar no quarto, salada caesar tem sempre. Posso andar pelo quarto, porque sempre posso andar pelo quarto, quando há espaço suficiente. E nesse quarto há espaço suficiente apenas para ir da cama junto à janela até a televisão colocada num suporte no canto, depois até a mesa, que fica debaixo de um espelho que também reflete a cama. Aqui, pode-se parar para olhar a informação na moldura de avisos, e depois pode-se ir até a prensa para calças e a caixa com roladores em cima, que é para colocar a mala, no caso de se ter uma mala: a maior parte dos hóspedes dos hotéis de Gatwick não tem; sua bagagem circula sem eles, em algum lugar lá no alto, no céu. Estar em um hotel de Gatwick não quer dizer que você chegou. Ao contrário, quer dizer que ainda falta bastante para seguir.

O saguão de entrada abriga o conteúdo humano de um 747 cuja turbina falhou acima do Cazaquistão. É a segunda noite que passam no solo do país errado; estão com as roupas usadas, gritando por uma prensa de calças aquecida, e com a pele cinzenta. Vão pensar num banho de banheira e aceitar um chuveiro, mas ainda não, porque não têm nada limpo para vestir. Vão examinar o guarda-roupas e o abajur de cabeceira, e depois vão sentar na cama, deitar nela, ou levantar a colcha esticada e se enfiar por debaixo: se bem que depois de algum tempo nós vamos todos rolar, ou nos arrastar, ou despencar até o esquecido frigobar e nos perguntar se vale a pena. A qualquer preço.

Isto não é a Inglaterra. Isto é a cidade voadora. Isto é tempo extra.

San Miguel, Gordon's, Coca-Cola, Schweppes. Preciso de alguma coisa mais exata, não há nada suficientemente *exato* para eu beber ali. Pego a água de preço extorsivo e bebo até a garrafa plástica contrair com um estalo. Eu devia sair e comprar um litro disso aqui. Devia sair e fazer uma depilação com cera no spa. Tenho de organizar o resto da minha vida. Não posso organizar o resto da minha vida com as pernas peludas. Me pergunto se há algum jeito de ir até a loja Clarins da área de embarque, onde uma mulher de jaleco branco faz uma limpeza de pele completa num quartinho dos fundos, embora o tratamento facial sempre me deixe parecendo esfolada. Mesmo assim, tenho uma vontade tremenda de uma mulher de jaleco branco áspero que com a pressão e fricção dos dedos grudará minha cara de volta, onde ela corre o risco de desabar.

Me senti muito equilibrada enquanto rodava para o aeroporto de Dublin. Me senti sadia e cheia de determinação. Tinha alguma idéia de encontrar Rowan, talvez, ou de passear pelo litoral de Brighton uma última vez. Mas no minuto em que as rodas do avião tocaram o solo eu sabia o que tinha vindo fazer aqui. Dormir. Eu precisava dormir. Então apenas segui a indicação que dizia "Hotel" e que levava, como sempre leva, a uma cama firme, a um frigobar cheio e a um controle remoto de televisão muito usado.

E eu durmo.

Acordo inteiramente vestida, tiro a roupa e me enfio entre os lençóis frescos, esticados.

— Tentei te encontrar — diz o homem do meu sonho.
— Mas você estava no ano errado. —

É Michael Weiss. Ele nadou através de décadas para chegar até mim, e abriu caminho através de camadas de tempo. E quando nos vemos face a face, eu digo:

— Como vai, Michael?

E ele responde:

— Estou bem. Muito bem.

Acordo de novo e não sei dizer se a luz lá fora é da manhã ou da tarde. Com o polegar aperto os botões esponjosos do controle remoto para descobrir o horário nos noticiários da televisão. São seis e meia da tarde. Dormi oito horas. Viro-me para dormir de novo, então entro em pânico para telefonar para as meninas.

Tom atende.

— Querida. Oi. Onde você está? — Muito calmo e equilibrado.

— Pode passar para Rebecca? — digo, e me dou conta, na pausa que se segue, que ele tem todas as condições de dizer não.

— Alô. — A voz dela é muito mais imatura do que ela.

— Oi, querida.

— Onde você está?

— Você está bem? — pergunto. — Eu volto logo para casa.

— Ah. Tudo bem — bem alegre. Aquilo não é responsabilidade dela. Tem toda razão.

— Passe para sua irmã.

Emily respira na linha.

— E aí? — pergunto. — E aí?

Mais respirações. Telefone para Emily é um negócio demorado. ("Você não está aqui", ela me disse uma vez. "*Eu* estou aqui.") Dessa vez, ela entendeu para que serve aquela porcaria daquela coisa. Quase.

— Mamãe?

— Sou eu, querida.

— Vou te dar uma palavra — ela diz —, e essa palavra é "amor".

— É — digo afinal. — É. Uma palavra muito boa para se dar.

— Tchau! — E para me poupar o trabalho, ela bate o telefone.

Emily. Não sei se essa menina é brilhante ou esquisita. Ela não consegue ligar as coisas, de alguma forma, mas quando consegue é sempre surpreendente. Então não me preocupo com ela, acho, antes de me dar conta de que, na realidade, estou no aeroporto de Gatwick. Eu fugi de minha filha. Deixei minha filha para trás.

Mas não há como deixar as meninas, elas estão sempre comigo. Me viro nas cobertas e procuro o cabelo fino de Rebecca espalhado no travesseiro, onde ela às vezes gosta de se encolher junto de mim; o olhar felino da irmã observando de algum outro ponto do quarto. Elas são tão lindas. Onde quer que eu toque, consigo conjurar a seda do cabelo delas, e penso que é uma grande e discreta vitória tê-las neste mundo.

Rebecca Mary e Emily Rose. Elas agora ficam comigo em meu sono. Elas são bem pacientes. Elas se viram para o outro lado, e por um momento me deixam.

Acordo de novo e tomo uma ducha. Visto uma calça nova e jogo a velha na lata do lixo. Descarto esta outra vida e deixo o hotel para trás.

Lá fora, fico surpresa de descobrir que ainda estou num aeroporto, que o sonho continua. Viajei tanto e ainda estou aqui.

Palma
Barcelona
Mombasa
Split-Dalmácia

Do painel de partidas, todos os lugares onde nunca estive acenam para mim como transeuntes, vazios para o meu desejo.

Fuerteventura
Vilnius
Pula
Cork

Que putaria. As pessoas à minha volta, com toda razão, ignoram os avisos e preferem fazer compras. Vou atrás delas no elevador de vidro até o andar seguinte e procuro na Accessorize alguma coisa pequena para cada uma das meninas, algo brilhante ou estampado. Olho as pessoas na fila do caixa e me pergunto se estão voltando para casa ou se estão indo para longe das pessoas que amam. Não há outras jornadas. E penso que constituímos refugiados peculiares, nos afastando de nosso próprio sangue ou indo na direção do nosso sangue; pulsando para lá e para cá ao longo de veias fantasmagóricas que envolvem o mundo numa rede de veias. É nisso que estou pensando, parada na fila da filial da Accessorize no Gatwick Village com meus dois pares de sandálias de dedo que exibem na junção das tiras um orquídea de seda para Emily e, para Rebecca, uma peônia. Penso no mundo envolto em sangue, como uma bola de cordão enrolada no próprio cordão. Que se eu apenas seguir a linha descobrirei o que é que eu quero saber.

Indo ou voltando.

A tentação de voltar ao hotel é muito forte, mas faço um esforço para sentar um pouco no corredor do andar das partidas, pensando se eu devia escolher um destino por zona de embarque, sabendo que não vou a lugar nenhum, senão para casa.

Nice

Djerba

Edimburgo

Dublin

Onde fica Djerba, afinal?

E dessa vez o avião pousará direitinho. Sinto que ele não aterrissou *direito* da última vez que cheguei a Dublin. Kitty estava dormindo ao meu lado e Liam estava sentado lá me acusando, e o lugar em que pousamos não era o lugar que eu conhecia. Talvez nada disso tenha sido real. Sinto como se tivesse passado os últimos cinco meses no ar.

Telefono para Kitty, de repente.

— Você está bem? — pergunto.

— Como?

— Você está bem? — E, por um segundo, penso que ela sabe do que estou falando.

— Estou, tudo bem. Você está bem?

— Estou, sim. É, eu também.

E continuamos conversando de outras coisas.

Sei o que tenho de fazer, mesmo sendo tarde demais para a verdade, eu vou contar a verdade. Vou procurar Ernest e falar para ele o que aconteceu com Liam em Broadstone e vou pedir que conte essa notícia muito antiga para o resto da família (mas não conte para mamãe!), porque não consigo fazer isso eu mesma, não tenho argumento para isso. Simplesmente não conseguiria encarar a censura de Bea, nem a tristeza desagradável de Ita, nem Ivor, dizendo, crispado: "Quer dizer que só vocês queriam se divertir?" Meu Deus, detesto minha família, essas pessoas que nunca escolhi amar, mas que amo mesmo assim.

E que patética tentativa esta, de fugir deles todos. A porra do aeroporto de Gatwick. Eu devia estar em Barcelona, procurando um sinal. Devia estar andando nas ruas de Paris à espera de ser encontrada; algum homem que vai vir até mim e dizer: "Esperei tanto por você", e depois, semanas depois, vou ver umas crianças brincando no Jardim de Luxemburgo e num sobressalto gritar: "Não! Não! Não pode ser."

Mas não quero destino diferente do que me trouxe até aqui. Não quero uma vida diferente. Só quero poder viver a vida, só isso. Quero acordar de manhã e ir dormir à noite. Quero fazer amor com meu marido outra vez. Porque toda vez que ele tentava me desconjuntar, havia amor que me juntava de novo, que nos juntava de novo. Se eu conseguisse ao menos lembrar dessas vezes todas. Se pudesse me lembrar de cada vez, como a gente se lembra dos diferentes lugares onde esteve, alguns tão incríveis, exóticos, perturbadores ou calmos. Se eu pudesse dizer que foi assim na vez que Rebecca teve início e que Emily se deu a conhecer. Ou uma vez, me lembro, uma tarde, alguma tarde, em que me sentei na beira da cama à luz branca das cortinas e ele parecia alguém que eu conhecia desde o comecinho, onde quer que tenha sido o começo.

Fico na fila das passagens e tenho de fechar os olhos de repente. Ali fico com as pálpebras apertadas, minha carteira de motorista firme na mão e a mão pressionando a sensação de vazio, de abandono, em minha barriga: é o futuro que volta para me atormentar. Alguma nova alma, com olhos como ameixas.

Um menino.

Ei, Tom, vamos ter mais este bebê. Só este. Este cujo nome eu já sei. Ah, vamos. Vai ser uma alegria sem fim.

Bem, sim.

E embora fosse incrível ter outro filho, isso não é o que eu quero parada na fila do aeroporto de Gatwick com os olhos fechados: uma mulher sem bagagem, sem objetos pontiagudos, e nada que eu própria não tenha embalado. Só quero ter menos medo. Só isso. Porque é medo que eu sinto enquanto espero para chegar ao balcão para um vôo que parte hoje ou, se o preço for muito extorsivo, amanhã logo cedo. Não sei se consigo dar esses parcos passos e entrar no avião.

O aeroporto de Gatwick não é o melhor lugar do mundo para ser tomada pelo medo de voar. Mas parece que é isso que está acontecendo comigo agora; porque sobe-se tão alto naquelas coisas e a queda é tão longa. No entanto, estou caindo há meses. Estou caindo em minha própria vida há meses. E agora estou a ponto de chegar ao chão.

Meus agradecimentos a Sinéad por corrigir meu irlandês, e a Mary Chamberlain por corrigir todo o resto. Obrigada, como sempre, a Robin Robertson e Gill Coleridge.

Anne Enright
Bray, 2006

Este livro foi impresso na
LIS GRÁFICA E EDITORA LTDA.
Rua Felício Antônio Alves, 370 – Bonsucesso
CEP 07175-450 – Guarulhos – SP – Fax: (11) 3382-0778
Fone: (11) 3382-0777 – e-mail: lisgrafica@lisgrafica.com.br